東京大学教養学部の
アカデミック・ジャパニーズ

J–PEAK

Japanese
for
Liberal Arts
at
the University of Tokyo

中級
Intermediate
Level

根本愛子
Aiko Nemoto

ボイクマン総子
Fusako Beuckmann

the japan times PUBLISHING

東京大学教養学部のアカデミック・ジャパニーズ　**J-PEAK 中級**
J-PEAK: Japanese for Liberal Arts at the University of Tokyo [Intermediate Level]

2022 年 10 月 20 日　　初版発行

著　者：根本愛子・ボイクマン総子
発行者：伊藤秀樹
発行所：株式会社 ジャパンタイムズ出版
　　　　〒 102-0082 東京都千代田区一番町 2-2 一番町第二 TG ビル 2F

ISBN978-4-7890-1805-0

First edition: October 2022

Illustrations, layout design and typesetting: Asahi Media International
English translations and proofreading: Amitt Co., Ltd.
Narrators: Shogo Nakamura and Marin
Recordings: Studio Glad Co., Ltd.
Cover design: atelier yamaguchi
Cover illustration: Septem artes liberales from "Hortus deliciarum" by Herrad von Landsberg (about 1180)
Printing: Nikkei Printing Inc.

Published by The Japan Times Publishing, Ltd.
2F Ichibancho Daini TG Bldg., 2-2 Ichibancho, Chiyoda-ku, Tokyo 102-0082, Japan
Website: https://bookclub.japantimes.co.jp/

ISBN978-4-7890-1805-0

Printed in Japan

はじめに

　『東京大学教養学部のアカデミック・ジャパニーズ J-PEAK』は、高等教育機関の中級・上級の日本語学習者を対象とした総合教科書です。初級修了直後の学習者がスムーズに中級に移行でき、中級から上級への学習、さらに上級の学習が継続してできるよう構成されたシリーズで、本書はその 1 冊目となります。

　本シリーズは、日本語学習を通じて論理的・分析的・批判的思考と総合的な日本語のスキル、特に日本語での発信力を高めることを目的としています。筆者らが教鞭をとる東京大学教養学部 PEAK（Programs in English at Komaba、英語のみで学士号を取得できるコース）では、幅広く深い教養と知的好奇心を養い、既存の知識を批判的に吟味して独自の観点を創造する力を身につけることを目指しています。本シリーズは、もともとはこの PEAK の必修日本語科目で使用するために開発を始めたものですが、交換留学生対象の総合日本語科目でも使用しており、広く国内外の高等教育機関でお使いいただける内容になっています。

　中級は、日常的な話題や表現が中心だった初級から、アカデミックな内容や表現が求められるレベルへの移行時期になります。そのため本書は、初級レベルの復習と同時に、すでに学習者が持っている知識を活性化できるように設計しました。そして、限定的な日本語力であっても、日本語で見聞きしたことについて分析的・批判的に考え、論理的に意見が述べられるようになることを目標とします。

　本シリーズは、試行版を 6 学期 3 年間にわたり、授業で使用してきました。その間、学生や授業担当教員の方々からいただいた多くのコメントを、その都度、教材に反映させるという作業を繰り返しました。

　本書が、日本語学習を通して学習者が自ら考え、日本語で発信する力を身につける一助となれば幸いです。

2022 年 8 月
根本愛子
ボイクマン総子

もくじ
Contents

Unit 1 食べ物・飲み物の歴史 **23**
れき し
The History of Food and Drink

Unit 2 田舎に住むか、都会に住むか **39**
い なか
Urban Life vs. Rural Life

Unit 3 大学生活の過ごし方 **57**
せい かつ す かた
How Students Spend Their College Days

Unit 4 日本各地の魅力 **79**
かく ち み りょく
Attractions All Around Japan

本書について

◼1 対象

　本シリーズの対象は、日本国内外の高等教育機関の中級〜上級レベル（CEFR の B1 〜 B2）の日本語学習者です。シリーズ第 1 巻である本書は、初級レベル修了程度の学習者を対象としています。日常的な話題のやりとりが中心だった初級から、アカデミックな内容とそれにふさわしい表現が求められるようになる中級へ、スムーズな移行を促します。

◼2 目的

◆**本シリーズの目的**

　日本語学習を通じて、論理的・分析的・批判的思考と総合的な日本語のスキル、特に日本語での発信力を高める

◆**本書『中級』の目的**

　1）初級レベルの語彙・文法を復習するとともに、トピックに関する語彙と中級レベルの文型表現を身につけながら、すでに持っている知識を活性化する

　2）自分の持てる日本語力を駆使して、日本語で見聞きしたことについて分析的・批判的に考え、論理的な意見を積極的に述べられるようになる

◼3 理念と特徴

　リベラルアーツの起源は、ギリシア・ローマ時代の「自由 7 科」（文法、修辞学、論理学、算術、幾何学、天文学、音楽）であり、その時代に自由人（＝奴隷ではない人）として生きるために学ぶべきものだと言われています。近年では、「人の精神を自由にする幅広い基礎的学問・教養」（瀬木 2015）や「"自由" になるための "手段"」（山口 2021）などとされています。「教養」とは、この「リベラルアーツ」の訳語です。

　また、「アカデミック・ジャパニーズ」は「教養教育」であり、教養教育の中心課題は「学び方を学ぶこと」にあるとされています。そして、自由で民主的な社会を構成する市民が身につけるべき「自己を表現し、他者と出会い、他者とつながる力」の育成が重要です（門倉 2006）。また、アカデミック・ジャパニーズに求められるのは「論理的・分析的・批判的思考法」（山本 2004）だとも言われています。

　本シリーズは、これまでの言語教育の研究知見に基づき、これら教養（リベラルアーツ）とアカデミック・ジャパニーズ、特に、論理的・分析的・批判的思考を徹底して具現化することを試みました。

1）リベラルアーツのためのトピック選定

　本シリーズでは、日本語学習を通して、横断的な知識と物事の捉え方を学ぶリベラルアー

ツ、すなわち、教養を培うことを重視しています。特に高等教育においては、単に言語を学び4技能を伸ばすだけでなく、世界の事象について自ら考察し、その考えを述べることが求められます。

　そこで本シリーズでは、学習者が自分の専門に関わらず興味関心を持つことができるようなトピックを人文科学・社会科学・自然科学から幅広く取り扱いました。

2）アカデミック・ジャパニーズの獲得に向けたユニット内構成

　本シリーズは、アカデミック・ジャパニーズの定義を踏まえ、ユニット内の活動の構成を考えました。まず、「ウォーミングアップ」でユニットのトピックの喚起を行います。そして、「ていねいに読む」ではトピックの概論にあたる内容を、「すばやく読む」と「聞く」ではトピックの各論にあたる内容を扱います。これらの活動は、ユニットのまとめにあたる話す活動と書く活動で、自己表現を十全に行うための準備となります。そのため全てのセクションは、このテキストで示されている順に、省略せず行うことが望ましいと考えます。

　また、自己を表現し他者とつながる手段は様々であるため、その発信方法にはバラエティを持たせました。話す活動には発表・ディベート・ディスカッションを、書く活動には説明文・意見文・記事・提案文を、それぞれ取り入れました。

3）研究知見に基づいて書き下ろした本文と設問

　本シリーズの特徴を語る上で欠かせないのが、語彙研究と読解ストラテジー、聴解ストラテジーに関わる研究知見に基づいて作成されていることです。

　語彙は、「日本語テキスト語彙・漢字分析器」（Japanese Lexical Analyzer、通称 J-LEX）（菅長・松下 2013）を用いて各レベルで使用する語彙基準を設け、その基準内で全ての本文を書き下ろしました。これにより、学習者は自分のレベルに合った語彙を使って無理なく学習することができるようになっています。なお、本書『中級』の本文は、ターゲット語彙をJ-LEX の 1286 〜 2000 位とし、2000 位までの語彙カバー率が 90 〜 95％になるようにしました。また本書では、J-LEX で 301 位以降の漢字にはルビがついています。このように語彙・漢字レベルに基準を設けることによって初めて、学習者のレベル（中級／中上級／上級）を厳密に規定することができると筆者らは考えます。

　読解ストラテジーについては、Koda and Yamashita（2019）を参考にし、本文の内容を理解するだけでなく、読んだ内容をもとに自分自身の意見を述べたり、得た知識を精緻化して世界で起こっている事象につなげたりする設問を設けています。

　こうして読解活動でトピックへの理解を深めることは、次の聴解活動の支援にもつながります。音声を聞いている時に単語・文レベルではなく段落やテキスト全体を参照したり、予測や推測したりしながら聞く（横山 2008）という聴解ストラテジーをより効果的に養うことができます。

本書の使い方

1 **ユニット内の構成と進め方**

本書の各ユニットは全て、読む・聞く活動（①〜③）から、話す活動（④）・書く活動（⑤）へとつながっています。

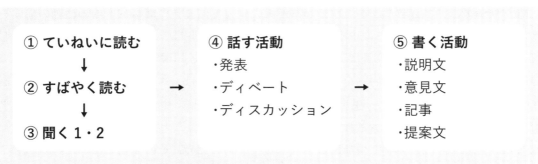

*ユニット4のみ、②と③、④と⑤の順序が入れ替わっています。
*別冊　単語リスト：①〜③について、読めて書けるようになる単語（★★）、読めて意味がわかればいい単語（★）が取り上げられています。
　　　　文型表現：①の後に行うか、①〜③の後にまとめて確認することを推奨します。

1）扉

各ユニットの最初の扉ページには、トピックのタイトルおよび各活動の見出しがあります。このユニットで何を学習するのか、全体の流れとユニットのねらいを確認しましょう。

2） ウォーミングアップ Warm-up

ユニットに入る前に、ユニットのトピックについて考えます。まず、トピックについて自分の知っていることを日本語で話してみましょう。それから、初級までに学習した言葉や表現を復習しましょう。そして、このユニットのキーワードも確認します。

3） ていねいに読む Intensive Reading

ユニットのトピックの概論となる内容の読解タスクです。本文はJ-LEXで2000位までの語彙カバー率が90〜95％になるように書き下ろされています。また、301位以降の漢字が含まれる語彙を基本としてルビがついています。

1回目は、今の自分がどのぐらい読めるか、何がわからないかを確認するため、辞書や単語リストを見ないで読んでみましょう。2回目は、別冊の単語リストを使って、わからない言葉や表現をチェックしながら読みましょう。

理解チェック Check your understanding

本文の大まかな内容が理解できているかどうか確認します。5つの文を聞いて、合っているか違っているかを答えます。

内容を読み取る Reading comprehension

本文の内容が正確に理解できているかどうかを確かめます。答え方にも気をつけましょう。例えば、理由を問われた場合は「〜からです」と答えるなどです。

考えを述べる・広げる Sharing of knowledge

本文の内容を理解した上で、深く考えて、自分自身の意見を述べます。さらに、本文の内容から離れて、トピックについてより深く広く考え、意見を述べるために、以下の設問を取り入れました。

　ⅰ **分析的に考える**：本文の内容について、自分の知っていることやこれまでの経験と比較します。本文で述べられていることが、具体的にはどういうことかを考えましょう。
　ⅱ **批判的に考える**：筆者の意見について自分はどう思うか、ある状況において自分だったらどうするかなどを考えます。そう思う理由や根拠も考えましょう。
　ⅲ **論理的に述べる**：ⅰやⅱについて、自分の考えを述べます。他の人にもわかりやすくなるように、簡潔に順序よくまとめましょう。
　ⅳ **他者と対話する**：他の人の考えを聞きます。自分の意見と比較しながら聞きましょう。質問や反論、ディスカッションをして、お互いの考えを伝え合いましょう。

4) **すばやく読む** Speed Reading

トピックに関して、個別の事例や関連した事象を扱う文章です。本文で使われている語彙の95%は、すでに学習した語彙、またはこのレベルで知っておくべき語彙です。まずは辞書や単語リストを使わずに読んでみましょう。また、読むのに何分かかったかも測っておくとよいでしょう。文の長さと難しさは、8ユニットを通してほとんど同じなので、学習が進むごとに速く読めるようになっているか確認できます。

内容を読み取る Reading comprehension

話の内容を大まかに理解するためのスキミングと、必要な情報のみを拾うためのスキャニングの問題があります。本文を読む前に質問文を確認し、どのようなストラテジーで読むといいか考えるといいでしょう。

🎧 考えを述べる・広げる Sharing of knowledge

「ていねいに読む」同様、分析的・批判的に考え、論理的に意見を述べましょう。他の人の意見も聞いて、理解を深めましょう。

5) 🎧 聞く Listening

「すばやく読む」同様、トピックに関して、個別の事例や関連した事象を扱う内容となっています。2人の話者によるダイアログか、1人の話者によるモノローグです。ユニット1・3・6・8は、「聞く」がその後の話す活動（発表）のモデルとなっています。聞く前に質問文を確認し、どのように聞くべきかを考えましょう。最初は辞書や単語リストを見ないで聞いてみましょう。その後、メモを取りながらもう一度聞いてみましょう。わからない場合は、何度か聞いてみるといいでしょう。

✏️ 内容を聞き取る Listening comprehension

「すばやく読む」と同様に、話の内容を大まかに聞き取る問題と、必要な情報のみを聞き取る問題があります。

🎧 考えを述べる・広げる Sharing of knowledge

「ていねいに読む」「すばやく読む」同様、分析的・批判的に考え、論理的に意見を述べましょう。他の人の意見も聞いて、理解を深めましょう。

6) 話す活動

ユニットのまとめとして、発表、ディベート、ディスカッションのいずれかの活動が用意されています。それぞれの準備の方法や進め方は、各ユニットで示されています。指示を参考にしながら、自分の意見や考えを述べましょう。

ユニット1・3・6・8 　　　　

ユニット2・5 　　　　　　　

ユニット4・7 　　　　　　　

話す活動には、 自己評価 Self-evaluation が付いています。自分は何ができたか、何ができなかったかを必ず確認しましょう。友達とチェックしたり、先生に聞いたりしてもいいでしょう。そして、できなかったことについて、次はどうしたらできるようになるかを考えましょう。

7）書く活動

　話す活動が終わったら、自分で話したことを文章でまとめます。説明文、意見文、記事、提案文のいずれかがあります。それぞれの準備の方法や進め方は、各ユニットで示されています。クラスで出た質問やコメント、他の人が述べた意見も参考にして、自分の意見や考えをまとめましょう。

ユニット1・3・6・8　　説明文を書く Writing a Report

ユニット2・5　　　　意見文を書く Writing Opinions

ユニット4　　　　　　記事を書く Writing an Article

ユニット7　　　　　　提案文を書く Writing a Proposal

　書く時には、以下の点に注意しましょう。

ⅰ　**文体を揃える**：一つの文章の中で「です・ます」体と「だ・である」体が混ざらないようにしましょう。ユニットごとにどちらで書くか指示があるので、それに従ってください。例えば、「だ・である」体という指示だったら、話す活動では「です・ます」で話していても、書くときは「だ・である」体にしなければなりません。

ⅱ　**文字数を守る**：ユニットごとに何文字かの指示があります。「〇文字程度」の場合は±10%の文字数で書くようにしましょう。「〇字以内」の場合はこの字数を超えてはいけません。例えば、発表のスクリプトは長いので、そのまま使えないでしょう。話し言葉と書き言葉の違いに注意したり、質疑応答で出た内容を付け加えたりしながら、指示された字数に合うように書き直しましょう。

ⅲ　**出典を書く**：他の人の書いたものを引用する場合は、出典を書かなければなりません。

【本文中での引用】　　※「本書について」も参考にしてください。

　例1） アカデミック・ジャパニーズに求められるのは「論理的・分析的・批判的思考法」（山本 2004）だとも言われています。

　　　　〜〜（ 筆者名字 発行年 ）とされている／と言われている

　例2） 山本（2004）は、アカデミック・ジャパニーズに求められるのは「論理的・分析的・批判的思考法」と述べています。

　　　　筆者名字 （ 発行年 ）は、〜〜と述べている／としている

11

【参考文献リスト】 ※巻末の「参考文献」も参考にしてください。

例 1） 山口周（2021）『自由になるための技術 リベラルアーツ』講談社
        筆者名   └─ 発行年   本のタイトル   └─ 出版社名

例 2） 門倉正美（2006）「〈学びとコミュニケーション〉の日本語力 アカデミック・ジ
        筆者名   └─ 発行年   論文のタイトル
ャパニーズからの発信」門倉正美他編『アカデミック・ジャパニーズの挑戦』
                              本のタイトル
ひつじ書房 , 3-20
    出版社名   └─ ページ

　書く活動には、**セルフチェック** Check the statements があります。提出する前に、自分が書いた作文をもう一度確認しましょう。

2 別冊の内容と使い方

1）単語リスト

　各ユニットの単語リストがあります。単語リストにある★は、その単語を使えるようになるべきか、意味や読み方がわかればいいのかを示しています。

　★★の単語は J-LEX の語彙 1286 位以降かつ漢字 500 位までで、読み書きを含め、自分で使えるようになることが求められる語彙（使用語彙）です。一方★の単語は、J-LEX の語彙 1286 位〜 2000 位、漢字 501 位以降で、書けなくても、読めて意味がわかればよい語彙（理解語彙）です。カタカナ語は J-LEX で 1286 位以降の場合、★★になっています。ただし原則として、代表的な初級日本語教科書ですでに学習した語彙はリストには入っていません。

2）文型表現

　代表的な初級日本語教科書ではまだ学習していない文型で、そのトピックに関する意見を述べる際に必要だと思われる文型を取り上げています。それぞれに例文、解説、作文練習問題があります。

3 音声ファイル

以下のセクションには、ダウンロードできる音声が付いています。

ていねいに読む	本文、「理解チェック」の音声
すばやく読む	本文の音声
聞く	1・2の会話またはモノローグの音声

4 **解答・スクリプト**

　各設問の解答、「ていねいに読む」セクションの「理解チェック」と「聞く」セクションの音声スクリプトは、PDF ファイルで提供します。以下の URL にアクセスしてダウンロードしてください。

　https://bookclub.japantimes.co.jp/jp/book/b613291.html

About This Book

1 Target audience

This series is aimed at intermediate to advanced level (levels B1 and B2 of the CEFR) learners of Japanese at institutions of higher education both in Japan and abroad. This first volume in the series is intended for learners who have completed the beginner level. It encourages a smooth transition from the beginner level, where the focus is on everyday topics and interactions, to the intermediate level, where academic content and appropriate expressions are required.

2 Objectives

◈ Objectives of this series

To develop logical, analytical, and critical thinking and general Japanese language skills, especially the ability to communicate in Japanese, through the study of the Japanese language.

◈ Objectives of this Intermediate text

1) To stimulate knowledge already possessed while reviewing beginner-level vocabulary and grammar and acquiring new vocabulary related to topics and sentence patterns at the intermediate level.

2) To enable students to think analytically and critically about things seen or heard in Japanese, and to actively express logical opinions by making full use of their own Japanese language ability.

3 Philosophy and characteristics

The idea of the liberal arts originated in the "seven liberal arts" (grammar, rhetoric, logic, arithmetic, geometry, astronomy, and music) studied in Greek and Roman times by free persons (i.e., not slaves). In recent years, the liberal arts have been described as "a wide range of basic studies and cultured knowledge that free the human spirit" (Segi 2015) and "a means of becoming 'free'" (Yamaguchi 2021). Here, the Japanese term *kyōyō* serves as a translation of "liberal arts."

Academic Japanese also means a liberal arts education, and the central task of a liberal arts education is to *learn how to learn*. It is also important that citizens who constitute a free and democratic society develop the ability to "express themselves, meet with others, and connect with others" (Kadokura 2006). "Logical, analytical, and critical thinking skills" are also said to be required of academic Japanese (Yamamoto 2004).

Based on research findings in language education to date, this series attempts to serve as a thorough embodiment of liberal arts education and academic Japanese, particularly logical, analytical, and critical thinking skills.

1) Selecting topics in the liberal arts

This series emphasizes the cultivation of liberal arts—that is, the study of cross-disciplinary knowledge and ways of perceiving and apprehending through the study of Japanese. Especially in higher education, students are expected not only to learn a language and develop four skills, but also to consider and express their own opinions about world events.

For this reason, this series covers a wide range of topics from the humanities, social sciences, and natural sciences that may be of interest to students regardless of their major fields of study.

2) Structure of units for learning academic Japanese

For this series, the activities in the units have been structured based on the definition of academic Japanese. First, the Warm-up section gives a sense of the unit's topic. Next, the Intensive Reading section provides an overview of the topic, while the Speed Reading and Listening sections cover the individual topics. These activities prepare students to fully express themselves in the Speaking and Writing activities that summarize the unit. For this reason, it is recommended that all sections be completed in the order presented in this text, without skipping or omission.

As there are many different ways to express oneself and connect with others, a variety of approaches have been included. The speaking activities incorporate presentations, debates, and discussions, while the writing activities incorporate reports, opinion pieces, article, and proposal.

3) Text and questions based on research findings

An essential feature of this series is that it is based on research findings related to vocabulary research, reading comprehension strategies, and listening comprehension strategies.

Vocabulary standards to be used at each level have been established using the Japanese Lexical Analyzer (commonly known as J-LEX) (Suganaga & Matsushita 2013). All text has been set within these criteria. This enables learners to use vocabulary appropriate to their level, which facilitates learning. The target vocabulary for the text of this book, Intermediate, is taken from J-LEX vocabulary items ranked 1286–2000, and the coverage of vocabulary in this range is 90–95%. In this book, kanji characters ranked 301 or higher by J-LEX are marked with ruby text (pronunciation guide). The authors believe that only by setting standards for vocabulary and kanji levels in this way can the learner's level (intermediate, pre-advanced, or advanced) be strictly regulated.

For reading comprehension strategies, with reference to Koda and Yamashita (2019), questions have been provided that require students not only to comprehend the content of the text, but also to express their own opinions based on what they have read, to elaborate on the knowledge they have gained, and to connect it to events happening in the world.

This deepening of understanding of these topics in reading comprehension activities also supports the following listening comprehension activity. Listening comprehension strategies, such as considering entire paragraphs and the overall text rather than just words or sentences, and making predictions and inferences while listening to audio (Yokoyama 2008) can be developed more effectively.

How to Use This Book

Each unit in this book is connected from reading and listening activities (1) to (3) through to speaking (4) and writing (5) activities.

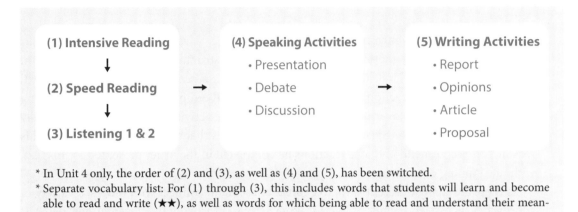

* In Unit 4 only, the order of (2) and (3), as well as (4) and (5), has been switched.
* Separate vocabulary list: For (1) through (3), this includes words that students will learn and become able to read and write (★★), as well as words for which being able to read and understand their meaning will suffice (★).
  Building Sentences: It is recommended to do this after (1) or confirm together after (1) to (3).

1) Title Page

The title page of each unit contains the topic title and headings for each activity. You can check what you will learn in the unit, such as the overall flow of the unit, and the objectives of the unit.

2) ウォーミングアップ Warm-up

Before you begin the unit, think about the unit topic. First, try speaking in Japanese about what you know on the topic. Then, review the words and expressions you have learned up to the beginner level. Next, review the key words for the unit.

3) ていねいに読む Intensive Reading

This is a reading comprehension task for the content that presents an outline of the unit topic. Words in the text are taken from J-LEX vocabulary items ranked up to 2000, and the coverage of vocabulary in this range is 90–95%. Also, as a general rule, kanji characters ranked 301 or higher by J-LEX are marked with ruby text (pronunciation guide).

For the first reading, try not to look at a dictionary or vocabulary list to check how well you can read and what you don't yet understand. As you read the second time, use the vocabulary list to check any words and expressions you don't understand.

理解チェック Check your understanding

Check your overall understanding of the content of the text. Listen to five statements, and answer whether they are correct or not.

内容を読み取る Reading comprehension

Check to see how accurately you understand the content of the text. Be careful how you answer. For example, if asked to give a reason for your answer, you should start your answer with "Because ... "

考えを述べる・広げる Sharing of knowledge

After you understand the content of the text, think deeply and express your own opinion. The following questions are designed to encourage students to think more deeply and broadly about the content of the topic and to express their own opinions.

(i) **Analytical thinking:** Compare the content of the text with what you already know and your previous experiences. Think about what specifically is being stated and the meaning of the text.

(ii) **Critical thinking:** Think about your thoughts about the author's opinion, and what you would do in those circumstances. Think also about the reasons and grounds for your opinions.

(iii) **Logical expression:** State your thoughts on (i) and (ii). Summarize your thoughts in a concise and orderly way so that other people can easily understand them.

(iv) **Dialogue with others:** Listen to other people's ideas. Listen while comparing your opinions with theirs. Share your ideas by asking questions, counter-arguing, and discussing.

4) **すばやく読む** Speed Reading

These texts deal with individual cases and events related to the topic. 95% of the vocabulary used in these texts is vocabulary you have already learned or should know at this level. Read the text first without using a dictionary or vocabulary list. You should also measure how many minutes it takes you to read it. The length and difficulty of the sentences are almost identical for all 8 units, so you can check whether you are getting faster as you progress.

内容を読み取る Reading comprehension

Some questions require skimming to understand the general outline, while some questions require scanning to pick up only the necessary information. You should check the questions before reading the text, and think about what kind of strategy you need to use when reading the text.

 内容を読み取る Reading comprehension

Just as in Intensive Reading, you should think analytically and critically, and express your opinions logically. Listen to other people's opinions to deepen your own understanding.

5)  聞く Listening

Just as in Speed Reading, the content will involve individual cases and events related to the topic. These will either be dialogues between two speakers or monologues by a single speaker. In Units 1, 3, 6, and 8, the Listening activity is a model for the subsequent Speaking activity (presentations). Before listening, review the questions and think about how you should listen. Listen first without looking at a dictionary or vocabulary list. Then listen once again, this time taking notes. If you don't pick it up, try listening several times.

 内容を聞き取る Listening comprehension

Just as in Speed Reading, some questions require you to understand the general outline, while others require you to pick up only the necessary information.

 考えを述べる・広げる Sharing of knowledge

Just as in Intensive Reading and Speed Reading, you should think analytically and critically, and express your opinions logically. Listen to other people's opinions to deepen your own understanding.

6) Speaking Activities

The following activities have been prepared as a summary of each unit: presentations, debates, and discussions. Instructions on how to prepare for each activity and how to proceed are given in each unit. Check the instructions as you express your own opinions and ideas.

Units 1, 3, 6, 8   発表する Presentation

Units 2 & 5   ディベートをする Debate

Units 4 & 7   ディスカッションをする Discussion

Each speaking activity is accompanied by  自己評価 Self-evaluation . Be sure to check what you were able to do and what you were not able to do. You can check with a friend or ask your teacher. Then, think about how you could do these things better next time.

7) Writing Activities

After the Speaking activity is complete, summarize what you have said in writing. Reports, opinion pieces, articles, and proposals have all been prepared. Instructions on how to prepare for each activity and how to proceed are given in each unit. Use the questions and comments raised in class, as well as opinions expressed by others, to formulate your own opinions and ideas.

Units 1, 3, 6, 8	説明文を書く Writing a Report
Units 2 & 5	意見文を書く Writing Opinions
Unit 4	記事を書く Writing an Article
Unit 7	提案文を書く Writing a Proposal

When writing, keep the following points in mind.

(i) **Maintain a consistent writing style:** Do not mix *desu/masu* and *da/dearu* styles in the same piece of writing. Each unit will have instructions on which style to use, so please follow them. For example, when instructed to use the *da/dearu* form, you must use the *da/dearu* form when writing, even if the *desu/masu* form is used during speaking activities.

(ii) **Observe the limits on number of characters:** Each unit will include instructions on how many characters to use. If the instructions say "About X characters," you should write within +/- 10% of the stated number. If the instructions say "Within X characters," you must not exceed the stated number. For example, a script for a presentation is too long, so it would not be usable as is. You should rewrite it to fit the indicated number of characters, being mindful of the difference between spoken and written language, and adding any content that came up during the Q&A session.

(iii) **Citations:** If you are citing material written by someone else, you must write the source of the citation.

[Citation in body of text]   * Please also refer to the About This Book section.

Example 1) アカデミック・ジャパニーズに求められるのは「論理的・分析的・批判的思考法」（山本 2004）だとも言われています。

    〜〜（author's family name, year of publication）とされている／と言われている

Example 2) 山本（2004）は、アカデミック・ジャパニーズに求められるのは「論理的・分析的・批判的思考法」と述べています。

    author's family name（year of publication）は、〜〜と述べている／としている

[Reference list] * Please also refer to the bibliography section at the end of this book.

Example 1) 山口周 （2021）『自由になるための技術 リベラルアーツ』 講談社
author's family name ┘　　└ year of publication　　　└ title of book publisher　　　　└ title of publication

Example 2) 門倉正美 （2006）「〈学びとコミュニケーション〉の日本語力 アカデミック・
author's family name ┘　　└ year of publication　　　　　　　└ title of article
　　　　ジャパニーズからの発信」門倉正美他編 『アカデミック・ジャパニーズの挑戦』
　　　　　　　　　　　　　　　　　　　　　　　　title of publication ┘

　　　　ひつじ書房 , 3-20
　　　　publisher ┘　　└ page numbers

The Writing section includes セルフチェック Check the statements . Before submitting, always double-check your essay.

2 Content and usage of supplement

1) Vocabulary list

There is a vocabulary list for each unit. The ★ marking of certain words in the vocabulary list indicates whether you should be able to use the word or just know its meaning and how to read it.

Words marked ★★ are J-LEX vocabulary words ranked at 1286 or higher and kanji characters ranked up to 500. These are terms you should be able to use on your own, including reading and writing (active vocabulary). On the other hand, words marked ★ are J-LEX vocabulary words ranked from 1286 to 2000, or kanji characters ranked 501 or higher. These are terms you should be able to read and understand the meaning of, even if you cannot write them (passive vocabulary). Katakana words are marked ★★ if they are ranked 1286 or higher in J-LEX. However, as a rule, vocabulary already studied in typical elementary Japanese language textbooks is not included in these lists.

2) Building Sentences

This section includes sentence patterns that may not typically be studied in beginner-level Japanese language textbooks, but are considered necessary for expressing opinions on the given topic. Each includes example sentences, explanations, and writing exercises.

3. Audio files

The following sections are accompanied by downloadable audio files.

Intensive Reading	Audio files for main text and "Check your understanding"
Speed Reading	Audio files for main text
Listening	Audio of conversations or monologues from sections 1 and 2

How to download

◆ **From a smartphone or tablet**
   Install OTO Navi, an audio app from The Japan Times
   Publishing, and download the audio files for this book.

◆ **From a PC**
   Please access the following URL and download the files in MP3 format.
   https://bookclub.japantimes.co.jp/en/book/b613409.html

4 Answers and scripts

The answers to each question and audio scripts for "Check your understanding" in the Intensive Reading sections and the Listening sections are provided in PDF format. Please access the following URL to download the files.

https://bookclub.japantimes.co.jp/en/book/b613409.html

Unit 1

食べ物・飲み物の歴史
The History of Food and Drink

ていねいに読む　Intensive Reading
抹茶とアイスクリームの出会い
How green tea and ice cream met

すばやく読む　Speed Reading
コーヒーと日本人
Coffee and the Japanese people

聞く　Listening
1 カレーの長い旅
The long journey of curry

2 カリフォルニアロール
California roll

話す活動　Speaking Activity
発表する
Presentation

書く活動　Writing Activity
説明文を書く
Writing a Report

このユニットのねらい
1) 時間の流れに沿って、出来事や変化の説明ができる。
2) 客観的で一般化した説明ができる。
3) 出身地の身近な食べ物・飲み物について、特徴と歴史を簡単に紹介できる。

Aims of this unit
1) Be able to explain events and transitions chronologically.
2) Be able to explain from an objective, generalized view.
3) Be able to explain briefly about the characteristics and history of foods/drinks from your hometown.

1. あなたがよく飲んでいる飲み物は何ですか。

2. あなたの国の飲み物について、説明してください。

1) あなたの国で有名な飲み物は何ですか。

2) それはどんな飲み物ですか。どんな時に飲まれていますか。次の言葉を使って、説明してみましょう。

いつ：　毎日　　春　　夏　　秋　　冬　　特別な日　　いつでも

味：　　甘い　　辛い　　苦い　　酸っぱい　　塩辛い　　ない

色：　　白　　黒　　茶色　　透明　　緑　　黄色

温度：　熱い　　冷たい　　どちらでもいい

3) それは、いつから飲まれていますか。知っていることを教えてください。

3. 次の a. 〜 e. は日本の時代です。順番に並べてください。

a. 大正	b. 平成	c. 明治	d. 昭和	e. 江戸
たいしょう	へいせい	めいじ	しょうわ	えど

（　　　）→（　　　）→（　　　）→（　　　）→（　　　）→ 令和

4. どう料理していますか。a. 〜 e. から言葉を選んでください。

a. 焼く　　　b. 揚げる　　　c. 炒める　　　d. 蒸す　　　e. 煮る

1)　　　　　　2)　　　　　　3)　　　　　　4)　　　　　　5)

◆1回目：辞書や単語リストを見ないで読んでください。**かかった時間** ＿＿＿＿**分**
◆2回目：辞書や単語リストで調べた言葉を書いておいてください。

抹茶とアイスクリームの出会い　🎧 U1-1

　抹茶は、お茶を粉にしたもので、茶道にも使われているお茶です。味は
ちょっと苦いですが、色はきれいな緑で、最近は飲むだけではなく、料理や
お菓子にも使われています。中でも抹茶アイスクリームは有名ですが、いつ
から人気の食べ物になったのでしょうか。

　抹茶アイスクリームは、古くは明治時代に作られていたそうです。まず、5
❶東京にある有名なお茶屋が、明治天皇が病気になった時、抹茶アイスクリー
ムを作って差し上げました。また、明治時代の新聞から、当時のホテルのメ
ニューに抹茶の入ったアイスクリームがあったということがわかるそうで
す。しかし、アイスクリームはとても高い食べ物だったため、お金持ちしか
食べられませんでした。　　　　　　　　　　　　　　　　　　　　　　10

　日本で電気冷蔵庫が使われるようになると、アイスクリームがよく食べら
れるようになりました。1960年ごろ、和歌山県にあるお茶屋は、夏の間は
暑くてお茶が売れなくなるので、何か売れるものを作ろうと考えて、抹茶ア
イスクリームを売り始めました。1980年ごろにはいろいろなデパートでも
抹茶アイスクリームが売られるようになりましたが、まだあまり人気はあり　15
ませんでした。1986年に、あるアメリカのアイスクリームの会社が日本に

初めて店を出すことになりました。❷その時、アメリカには抹茶アイスクリー
ムはありませんでした。しかし、日本では抹茶アイスクリームを売り出し、
これが人気になって、多くの人に食べられるようになったのです。

20 　今では、抹茶アイスクリームは、日本人だけが好きな食べ物ではありませ
ん。海外のいろいろな国でも売られていますし、日本に旅行に来た外国人に
も人気があります。アメリカの大統領だったバラク・オバマ氏も「子どもの
頃日本に来た時食べた抹茶アイスクリームが忘れられない」と話していまし
た。

25 　抹茶アイスクリームはどうしてこんなに人気があるのでしょうか。それは、
甘いアイスクリームと苦い抹茶、そして、日本の食べ物ではないアイスク
リームと日本の抹茶の味が一緒に楽しめるからではないでしょうか。

理解チェック Check your understanding 　　　　　🎧 U1-2

文を聞いて、本文と同じだったら○を、違っていたら×を書いてください。

1)　　　　　2)　　　　　3)　　　　　4)　　　　　5)

 内容を読み取る Reading comprehension

1. 抹茶アイスクリームの歴史をまとめてください。

明治時代　　　　抹茶アイスクリームが＿＿＿＿＿＿＿＿＿

1960 年ごろ　　＿＿＿＿＿＿＿が抹茶アイスクリームを＿＿＿＿＿＿＿

1980 年ごろ　　＿＿＿＿＿＿＿で抹茶アイスクリームが＿＿＿＿＿＿＿

1986 年　　　　＿＿＿＿＿＿＿の抹茶アイスクリームが＿＿＿＿＿＿＿

　　　　　　　　→この会社の抹茶アイスクリームが＿＿＿＿＿＿＿

2．日本でアイスクリームがよく食べられるようになったのはなぜですか。

_____からです。

3．この文章を書いた人が考える「抹茶アイスクリームが人気がある二つの理由」は何ですか。下の文を完成させてください。

1) _____アイスクリームと_____抹茶が一緒に楽しめるから

2) _____アイスクリームと_____抹茶が一緒に楽しめるから

🗣 考えを述べる・広げる Sharing of knowledge

1．下線❶について考えましょう。東京の有名なお茶屋が病気の明治天皇に作って差し上げたのは、なぜ抹茶アイスクリームだったと思いますか。

_____からだと思います。

2．下線❷について考えましょう。アメリカの会社は、どうしてアメリカでは売っていなかった抹茶アイスクリームを日本では売り始めたのだと思いますか。

_____からだと思います。

3．電気冷蔵庫ができる前と後で、アイスクリームにはどんな違いがあったと思いますか。本文からわかること、あなたが考えることなど、いろいろ出してみてください。

4．抹茶アイスクリームなど抹茶のお菓子はなぜ人気があるのだと思いますか。

_____からだと思います。

すばやく読む　Speed Reading

◇辞書や単語リストを見ないで読んでください。**かかった時間** _____ **分**
　じしょ　たんご
◇読み終わったら、質問に答えてください。

内容を読み取る　Reading comprehension

1. それぞれの段落 (paragraph) にタイトルをつけてください。
　　　だんらく

第 1 段落　_____
だい　　だんらく

第 2 段落　_____
だい　　だんらく

第 3 段落　_____
だい　　だんらく

2. この文章を書いた人は、コーヒーの人気が高いのはなぜだと考えていますか。
　　　ぶんしょう

_____からだと考えています。

考えを述べる・広げる　Sharing of knowledge

1. あなたが好きなコーヒーの飲み方を教えてください。

2. あなたの国では、どのようにコーヒーが飲まれていますか。

3. あなたは、コーヒーが人気があるのはなぜだと思いますか。

_____からだと思います。

4. あなたの国のコーヒーの歴史を調べて、簡単にまとめてください。
　　　　　　　　　　　　　　れきし　しら　　かんたん

コーヒーと日本人

U1-3

世界中でおいしく飲まれているコーヒーですが、最初は薬として飲まれていたと言われています。毎日の生活の中で飲まれるようになったのは、15世紀の中東でした。16世紀にはヨーロッパにも伝えられ、17世紀にはヨーロッパのいろいろな所で飲まれるようになったと言われています。その後、ヨーロッパからの移民によってアメリカにコーヒーが伝わったそうです。

日本にコーヒーが伝わったのは江戸時代ですが、お茶の文化が広まっていた日本では、コーヒーはまずいと思われていたそうです。しかし、明治時代になって、日本に欧米の文化が入ってくると、コーヒーを飲む人も増えてきて、コーヒーが飲めるカフェもたくさんできてきました。それから約100年後の1970年代には、お茶よりもコーヒーのほうがたくさん飲まれるようになりました。全日本コーヒー協会によると[6]、2020年には、一人が一週間に約11杯のコーヒーを飲んでいるということです。

では、どうしてコーヒーは人気があるのでしょうか。コーヒーはホットだけではなく、氷を入れて冷たくしても飲めるし、何も入れなくても砂糖や牛乳を入れてもおいしいです。スパイスやシロップを入れたら、いろいろな味のコーヒーが作れます。コーヒーの人気が高いのは、このようにいろいろな飲み方ができるからかもしれません。

聞く Listening

U1-4

1 カレーの長い旅

話を聞いて、次の問題に答えてください。

内容を聞き取る Listening comprehension

1. カレーの歴史をまとめてください。

カレーは_____で生まれて、_____世紀に_____に
　　　　　　　　（どこ）　　　　　　　　　　（いつ）　　　　　　　　　　（どこ）

行きました。その後、_____時代に日本に来ました。
　　　　　　　　　　　　　　（いつ）

2. カレーの変化について、次の問題に答えてください。

1) 日本に来る前と後でカレーが変わったのはなぜですか。

2) 今の日本のカレーは明治時代のカレーから何が変わりましたか。

考えを述べる・広げる Sharing of knowledge

1. あなたの国・地域でもカレーを食べますか。どんなカレーですか。

2. カレーが人気があるのはどうしてだと思いますか。

_____からだと思います。

会話を聞いて、次の問題に答えてください。

 内容を聞き取る Listening comprehension

1. カリフォルニアロールの歴史をまとめてください。

_____に、_____のために、
　　（いつ）　　　　　　　　　　　　　（誰）
　　　　　　　　　　　　　　　　　　　　　　　　だれ

_____で作られた寿司です。
　　　　　　　（どこ）　　　　　　　　　　　　　す　し

2. カリフォルニアロールについて、次の問題に答えてください。

1) 最初は日本でどのように言われましたか。
　さいしょ

2) なぜ、最初は **1)** と言われたのですか。
　　　　　さいしょ

3) 博さんは **1)** 、**2)** についてどう考えていますか。
　ひろし

 考えを述べる・広げる Sharing of knowledge

あなたは、カリフォルニアロールについての博さんの意見をどう思いますか。
　　　　　　　　　　　　　　　　　　　　　　ひろし
それはなぜですか。

　博さんの意見は_____と思います。
　ひろし

　なぜなら、_____からです。

Unit
1
食べ物・飲み物の歴史

自分の国の食べ物または飲み物の歴史について調べて、発表しましょう。

◇発表時間：3分　　質疑応答 (Q&A session) の時間：2分　　計：5分
◇スライド：1枚（発表する食べ物または飲み物の写真、難しい言葉のリスト）
　　　　自分で撮った写真以外は、どこから持ってきたかを書いておいてください。

 準備 Preparation

１．何の歴史を紹介するか、決めましょう。

２．以下は日本のカレーライスを紹介する発表のアウトラインです。

例 「日本のカレーライス」

【はじめに】 あいさつ 食べ物・飲み物の紹介 作り方の説明	・あいさつ ・日本のカレーライス　写真：①カレーライス　②野菜と肉 ・野菜と肉を炒めます→水とカレー粉を入れます→20分ぐらい煮ます
【本文】 歴史の説明	①インドでカレーが生まれた ②18世紀にインドからイギリスに行った→カレー粉ができた ③明治時代にヨーロッパやアメリカからいろいろなものが日本に来た 　＝日本にカレー粉が来た→米に合うカレーが作られた ④大正時代に今のようなカレーライスができた ⑤今、どこでも食べられる。人気がある
【おわりに】 まとめ あいさつ	・日本のカレーライスはインドのカレーや明治時代のカレーライスと違う ・食べてみてください！ ・あいさつ

例を参考にして、自分の発表のアウトラインを書いてみましょう。

【はじめに】 あいさつ 食べ物・飲み物の紹介 作り方の説明	
【本文】 歴史の説明	
【おわりに】 まとめ あいさつ	

3. 説明する時に必要な言葉を確認しましょう。スライドに入れる言葉のリストを作りましょう。

1）作り方：何をどう料理するか

例）野菜と肉を煮ます。

2）歴史：いつ、どこで／どこから／どこに

例）明治時代に日本に来ました。

4. スクリプトとスライドを作りましょう。

例

【はじめに】 あいさつ 食べ物・飲み物の紹介 作り方の説明	わたしは「日本のカレーライス」の歴史を紹介します。 これは日本のカレーライスです。 このカレーは、野菜と肉を炒めて、水とカレー粉を入れて、20分くらい煮た料理です。そして、ご飯と一緒に食べます。
【本文】 歴史の説明	日本のカレーライスは有名ですが、カレーはインドで生まれた料理です。18世紀にイギリス人がインドからイギリスに持って帰って、カレー粉ができました。 明治時代に日本にヨーロッパやアメリカのものがたくさん入ってきましたが、その時カレー粉も一緒に日本に来ました。そして、日本では米がよく食べられるので、米に合うカレーが作られました。 でも、明治時代のカレーは、肉や魚ばかりで、野菜はほとんどありませんでした。今と同じようなカレーは、大正時代に作られるようになりました。 そして今は、どこででも食べられます。例えば、スーパーでこういうカレーが売っていて、簡単に作れるので、家でよく作られます。 大学の食堂にも必ずあります。安くておいしいので、人気があります。
【おわりに】 まとめ あいさつ	日本のカレーライスは、インドのカレーや明治時代のカレーライスとは違います。みなさんも、ぜひ食べてみてください！ わたしの発表は以上です。ありがとうございました。 ご質問をお願いします。

スライドの例

日本のカレーライス

スーパーで
買えるカレー

【ことばのリスト】
いためる：to stir fry
にる：to simmer; to boil

1) カレーライス　　photo AC　　https://www.photo-ac.com/main/detail/24241436
2) レトルトカレー　イラストAC　https://www.ac-illust.com/main/detail.php?id=22698596
3) カレールー　　　イラストAC　https://www.ac-illust.com/main/detail.php?id=22730808

自己評価　Self-evaluation

☆に色をつけましょう

	評価（ひょうか）
１．発表時間、スライドの枚数や内容が指示 (instructions) に合っているか	☆☆☆☆☆
２．構成 (structure) が指示に合っているか	☆☆☆☆☆
３．聞き手への配慮 (concern)（難しい言葉の説明など）	☆☆☆☆☆
４．話し方（声・発音・流暢さ (fluency)）	☆☆☆☆☆
５．態度 (attitude)（視線 (glance)、表情 (facial expression)、ジェスチャーなど）	☆☆☆☆☆
６．表現の正確さ	☆☆☆☆☆
７．表現の豊かさ	☆☆☆☆☆
８．質問にわかりやすく答えられたか	☆☆☆☆☆
９．他の人の発表に質問できたか	☆☆☆☆☆
10．スライドに使った写真が、自分が撮った写真ではない場合、出典 (source) が書いてあるか	☆☆☆☆☆
総合評価 (overall)（そうごうひょうか）	★★★★★

コメント

自分の国の食べ物または飲み物の歴史について調べて、作文を書きましょう。

◇文のスタイル：です・ます体
◇長さ：400字程度（± 10% = 360 ～ 440字）

 書くときのポイント Key points

〈発表と同じ食べ物・飲み物を紹介する場合〉

1. 発表のスクリプトを振り返りましょう (to reflect)。あいさつなど、必要ではないものをなくしたり、クラスメートからの質問に対する答えなど、必要なものを入れたりしましょう。

2. 内容に合うタイトルをつけましょう。

〈発表と違うものを紹介する場合〉

1. アウトラインを書きましょう。【はじめに】で、どんな食べ物または飲み物なのかを簡単に紹介しましょう。【本文】では歴史を書きましょう。【おわりに】で、伝えたいことなどを書きましょう。

2. 内容に合うタイトルをつけましょう。

セルフチェック Check the statements

□ 1. タイトルと自分の名前が書かれているか。

□ 2. 【はじめに】で食べ物・飲み物について簡単に紹介しているか。

□ 3. 【本文】に、歴史（いつ、どこで／どこに／どこから、どんな）がわかるように書いてあるか。

□ 4. 【おわりに】に、伝えたいことなどが書いてあるか。

□ 5. ユニットで学習した表現を使っているか。

□ 6. 字や言葉の間違いがないか。

□ 7. 「です・ます」体で、400字程度になっているか。

□ 8. 書式 (format) や体裁 (style) は整っているか。

例

日本のカレーライス

はじめに

カレーライスは、日本で人気がある料理です。でも、他の国のカレーと少し違います。日本のカレーは、野菜と肉を炒めて、水とカレー粉を入れて煮た料理です。そして、ご飯と一緒に食べます。

本文

日本のカレーライスは有名ですが、カレーはインドで生まれた料理です。18世紀にイギリス人がインドからイギリスに持って帰って、カレー粉ができました。それから、明治時代に日本にヨーロッパやアメリカのものが入ってきた時、カレー粉も日本に来ました。そして、米に合うカレーが作られました。明治時代のカレーは、野菜はほとんど入っていなかったそうです。今と同じようなカレーが作られるようになったのは、大正時代です。

おわりに

カレーはスーパーでも売られているし、簡単に作れるので、家でも食べられます。大学の食堂にも必ずあります。今の日本のカレーライスは、インドのカレーや明治時代のカレーとは違います。安くておいしいので、ぜひ食べてみてください。

(399字)

Unit 1　食べ物・飲み物の歴史

田舎に住むか、都会に住むか
いなか
Urban Life vs. Rural Life

ていねいに読む　Insensive Reading
住むなら田舎がいいか、都会がいいか
いなか
Is it better to live in a rural area or an urban area?

すばやく読む　Speed Reading
田舎に引っ越す前に
いなか　　ひ　こ
Before you move to a rural area

聞く　Listening
1 高橋さんの意見
たか　はし
Takahashi's opinion

2 佐藤さんの意見
さ　とう
Sato's opinion

話す活動　Speaking Activity
ディベートをする
Debate

書く活動　Writing Activity
意見文を書く
Writing Opinions

このユニットのねらい
1）住む場所など、人それぞれの状況や価値観に影響される事柄について、想像する力をつける。
2）ディベートで、自分の主張を論理的に述べることができる。
3）自分と反対の立場の人に質問したり、反論したりできる。

Aims of this unit
1) Be able to imagine how matters may be affected by a person's situation and values, such as area of residence.
2) Be able to logically articulate your position in debates.
3) Be able to question and/or refute an opposing position.

1. あなたの出身地について考えましょう。

1) あなたの出身地は「田舎」だと思いますか、それとも「都会」だと思いますか。
それはなぜですか。

わたしの出身地は ［ 田舎 ／ 都会 ］ だと思います。

なぜなら、＿＿＿＿＿＿＿＿＿＿＿＿＿＿＿＿＿＿＿＿からです。

2) あなたの出身地のいいところ、よくないところを教えてください。

2. 「田舎」と「都会」について考えましょう。

1) あなたは「田舎」にどのようなイメージを持っていますか。

2) あなたは「都会」にどのようなイメージを持っていますか。

3. （　　　）に入る言葉を a.～e. から選んでください。

a. 反対する	b. 説得する	c. 継ぐ	d. 過ごす	e. 混む

1) 車が多くて、いつも道が（　　　）ので、大変だ。

2) 大学を卒業したら、父の仕事を（　　　）つもりだ。

3) 次の休みは、海の近くの町で（　　　）予定だ。

4) 彼の意見に（　　　）人が多い。

5) 友達が大学を辞めると言っているが、辞めないように（　　　）つもりだ。

◇1回目：辞書や単語リストを見ないで読んでください。**かかった時間** ＿＿＿分
◇2回目：辞書や単語リストで調べた言葉を書いておいてください。

住むなら田舎がいいか、都会がいいか 🎧 U2-1

　住むなら田舎がいいですか、都会がいいですか。あなたはどちらを選びますか。それはなぜですか。どちらを選ぶかは人によって違うでしょう。また、選んだ答えが同じでも、1) その理由は同じではないでしょう。なぜなら、背景や状況、優先順位によって、いろいろな考え方があるからです。

　例えば、交通手段の便利さについて考える場合、人によって考え方は違うでしょう。田舎では、電車に乗り遅れた場合、次の電車は1時間後ということもあるため、車に乗る人が多いです。行きたい場所へ直接行けるし、雨の日に傘をさして歩かなくてもいいので、田舎では車を運転する生活のほうが便利だという人もいます。反対に都会では、電車に乗る人が多いです。昼も夜も電車がたくさん走っているし、乗り換えればいろいろな場所へ行けます。自分の車を持つと税金や駐車場代がかかるので、都会で電車を使う生活のほうがいいと考える人もいます。

　また、その時の状況によって住む場所が決まる場合もあります。田舎に住みたいけれど、今は仕事があるから都会に住んでいるという人もいるでしょう。自分のやりたい勉強ができる大学に入ったから、その場所に住むことになった人もいるかもしれません。

それから、何を優先させるかで、自分の希望とは違う所に住む場合もあります。例えば子どもがいたら、自分の仕事と子育てのどちらを優先させるのか考えるでしょう。また、子育てを一番に考える場合でも、子どもをたくさ
20 ん遊ばせたいと思う人は自然が多い田舎を選び、有名な学校に通わせたいと思う人は都会を選ぶというように、いろいろな結論が考えられます。

　このように田舎か都会か選ぶ場合、いろいろなことを考えなければなりませんが、インターネットの進歩によって、特に<u>最近では田舎と都会の差が小さくなってきている</u>、ということも考えておくべきでしょう。ネットを使え
25 ば、田舎にいても都会の店の物がいろいろ買えますし、情報も都会にいるのとほぼ同じ早さで手に入れることができます。会社に近いから都会に住んでいた人も、オンラインで仕事ができるようになって会社に行く機会が減ったため、田舎に引っ越したという人もいます。

　2) <u>このような技術の変化も考えた上で</u>、自分にとってはどちらがいいのか、
30 なぜそう思うのかなど、もう一度考えてみてはどうでしょうか。

内容を読み取る Reading comprehension

1. 田舎と都会の交通手段について、次の質問に答えてください。

　1) 田舎では車に乗る人が多いのはなぜですか。

　　_____からです。

　2) 都会では電車に乗る人が多いのはなぜですか。

　　_____からです。

2. 子育てを優先する場合でも、住む場所が人によって違うのはなぜですか。

_____からです。

3. 〰〰〰の言葉がどういう意味か、詳しく説明してください。

1) その理由 　　_____理由

2) このような技術の変化 　_____のような技術の変化

4. 最近では田舎と都会の差が小さくなってきている 例として、本文には何が書かれていましたか。

🗣 **考えを述べる・広げる** Sharing of knowledge

1. 交通手段の便利さについて考えましょう。今のあなたの生活では、どんな交通手段が便利ですか。それはなぜですか。

2. 田舎に住むか、都会に住むかを考えるとき、本文に書かれていたこと以外にどんなことが条件になると思いますか。

3. 本文に書かれていたこと以外に、田舎と都会の差が小さくなってきている 例はどのようなものがありますか。

4. 田舎と都会の差が小さくなってきている ことのいい点とよくない点は何だと思いますか。

すばやく読む **Speed Reading**

◇辞書や単語リストを見ないで読んでください。**かかった時間** ＿＿＿＿＿＿**分**
◇読み終わったら、質問に答えてください。

✏️ **内容を読み取る** Reading comprehension

1. それぞれの段落 (paragraph) にタイトルをつけてください。

第 1 段落 ＿＿＿＿＿＿＿＿＿＿＿＿＿＿＿＿＿＿＿＿＿＿＿＿＿＿＿＿

第 2 段落 ＿＿＿＿＿＿＿＿＿＿＿＿＿＿＿＿＿＿＿＿＿＿＿＿＿＿＿＿

第 3 段落 ＿＿＿＿＿＿＿＿＿＿＿＿＿＿＿＿＿＿＿＿＿＿＿＿＿＿＿＿

2. <u>こうした取り組みを利用してみるといい</u> の「こうした取り組み」とは、具体的に (specifically) どのような取り組みですか。

💭 **考えを述べる・広げる** Sharing of knowledge

1. この文章を書いた人が <u>こうした取り組みを利用してみるといい</u> と考えているのはなぜだと思いますか。

＿＿＿＿＿＿＿＿＿＿＿＿＿＿＿＿＿＿＿＿＿＿＿＿＿＿からだと思います。

2. あなたは「こうした取り組み」はいい取り組みだと思いますか。それはなぜですか。

いい取り組みだと [　思います　／　思いません　]。

なぜなら、＿＿＿＿＿＿＿＿＿＿＿＿＿＿＿＿＿＿＿＿＿＿＿からです。

田舎に引っ越す前に

　最近、都会から田舎に引っ越す人が増えてきていると言われています。豊かな自然の中でのんびり生活したいと思う人、会社を辞めて農業をしたいと思う人など、理由はいろいろあります。特に、インターネットを使って家で仕事ができるようになってからは、毎日会社に行かなくてもよくなったので、田舎に引っ越す人が増えてきました。都会より広くて安い家に住めるからという理由もあります。 5

　しかし、田舎には田舎の大変さがあるとも言われています。都会とはルールや考え方、人と人との関係が違うためです。また、田舎では仕事があまり多くありません。借りられるアパートや家も少ないので、都会より住む所を探すのは大変です。 10

　そこで、田舎に住みたい人たちに、仕事や家を紹介したり、田舎での生活のアドバイスをしたりする取り組みも増えています。例えば、田舎に引っ越したい人にその町の情報を教えたり、引っ越しの相談を受けたりする町や村もあります。本当にその町に住めるかどうか、その町に住んだらどんな生活になるかを知るために、短い間だけ住む体験ができる町もあります。田舎の 15
町や村も、都会の人に来てもらいたいと思っているからです。

　田舎に住みたいと思っている人は、引っ越す前にこうした取り組みを利用してみるといいのではないでしょうか。

聞く Listening

1 高橋さんの意見
たかはし

高橋さんの意見を聞いて、次の問題に答えてください。
たかはし

内容を聞き取る Listening comprehension

1. 高橋さんは田舎と都会のどちらに住みたいと思っていますか。
たかはし　　いなか

2. 高橋さんが**1.**のように考える理由は何ですか。三つ挙げてください。
たかはし　　　　　　　　　　　　りゆう　　　　　　　あ

    1) _____

    2) _____

    3) _____

3. 高橋さんが考える、**1.**の場所に住むことのよくない点は何ですか。二つ挙げてください。
たかはし　　　　　　　　　　　　　　　　　　　　　　　　　　　　あ

    1) _____

    2) _____

考えを述べる・広げる Sharing of knowledge

高橋さんの意見以外に、どんないい点、よくない点がありますか。いろいろ考えてみましょう。
たかはし

    都会に住むことのいい点は、_____ことです。

    なぜなら、_____からです。

    都会に住むことのよくない点は、_____ことです。

    なぜなら、_____からです。

佐藤さんの意見を聞いて、次の問題に答えてください。
さとう

 内容を聞き取る Listening comprehension

1. 佐藤さんは田舎と都会のどちらに住みたいと思っていますか。
さとう　　いなか

2. 佐藤さんは**1.**に住みたいと思う理由について、田舎と都会を比べて話しています。
さとう　　　　　　　　　りゆう　　　いなか　くら
その内容を下の表に書いてください。
ないよう

1) 話したのはどんなトピックでしたか。①と②にトピックを書いてください。

2) ①と②について、田舎と都会、それぞれどのような例を挙げましたか。
いなか　　　　　　　　　　　　　あ

トピック	田舎	都会
①		
②		

 考えを述べる・広げる Sharing of knowledge

佐藤さんの意見以外に、どんないい点、よくない点がありますか。いろいろ考えてみましょう。
さとう

田舎に住むことのいい点は、＿＿＿＿＿＿＿＿＿＿ことです。
いなか

なぜなら、＿＿＿＿＿＿＿＿＿＿からです。

田舎に住むことのよくない点は、＿＿＿＿＿＿＿＿＿＿ことです。
いなか

なぜなら、＿＿＿＿＿＿＿＿＿＿からです。

ディベートをする　Debate

「住むなら田舎がいいか都会がいいか」でディベートをしましょう。

 準備　Preparation

1．ブレーンストーミングシートを作りましょう。

　　1）このユニットで読んだり聞いたりしたことから、田舎に住むこと・都会に住むこと
　　　　のいい点・よくない点をそれぞれまとめましょう。

　　2）他にも田舎に住むこと・都会に住むことのいい点・よくない点を考えましょう。

〈ブレーンストーミングシート〉

	田舎に住む	都会に住む
いい点		
よくない点		

2. グループを決めましょう。

「住むなら田舎がいい」グループと「住むなら都会がいい」グループに分かれます。

3. ディベートの流れを確認しましょう。

	「田舎がいい」グループ	「都会がいい」グループ
相談 (10分)	自分たちのグループの主張 (assertion) を考える	
第1ターン (各3分)	①「田舎がいい」理由を述べる ➡	②「都会がいい」理由を述べる
相談 (5分)	相手グループの主張を確認して、質問・反論 (rebuttal) を考える	
第2ターン (各2分)	③「都会がいい」への質問・反論 ➡	④「田舎がいい」への質問・反論
	★自分たちの意見を主張してはいけません。	
相談 (5分)	相手からの質問・反論を確認して、その答えを考える	
第3ターン (各2分)	⑥質問・反論に答える ⬅	⑤質問・反論に答える
	★相手からの質問・反論に答えるだけです。自分たちの意見を主張してはいけません。	
相談 (5分)	相手の答えを確認して、自分たちの最終意見 (conclusive opinion) を考える	
第4ターン (各3分)	⑧「田舎がいい」理由を述べる ⬅	⑦「都会がいい」理由を述べる
	★第1ターンと同じではなく、第3ターンの答えも入れて、まとめましょう。	
判定	判定表 (judgement sheet) を使って、どちらの主張がよかったかを考える	

4．ディベートで使える表現を確認しましょう。

1）意見と理由を述べる

◆ 〜〜です。なぜなら、……からです。

◆ ……から、〜〜です。　　　　　　　　◆ ……ので、〜〜です。

2）事実確認（fact check）のための質問をする

◆ すみません、〜〜というところがよくわからなかったので、もう少し詳しく
　説明していただけませんか。

◆ すみません、〜〜というのは、……ということでよいでしょうか。

3）反論を述べる

◆ 〜〜と言っていましたが、……ではないでしょうか。というのは、××から
　です。

◆ 〜〜というのは、違うのではないでしょうか。なぜなら、××からです。

4）質問に答える

◆ 〜〜ということについてですが、それは、……。

◆ ○○さんからのご質問ですが、それは、……。

5）反論に答える

◆ 〜〜とおっしゃいましたが、確かにその通りだと思います。ですが、……。

◆ 〜〜というご指摘はもっともです。ですが、……。

◆ 〜〜とおっしゃいましたが、そうですね、そういう意見もあるかもしれません。
　ですが、……。

6）質問や反論に答えられないとき

◆ 〜〜については、これから考えていきたいと思います。

◆ すみません。この件については、今後の課題といたします。

◆ 勉強不足ですみません。

7）最終意見を述べる

◆ わたしたちは 田舎／都会 に住むのがいいと思います。その理由は、まず、〜〜。
　それから、……。そして、×××。だから、田舎／都会 がいいと思います。

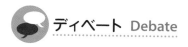ディベート Debate

1. 下の表にメモをしながらディベートをしましょう。

〈ディベートメモ〉

	自分のグループ ★相談_{そうだん}のメモをとる	相手のグループ ★聞き取ってメモする
1 最初の意見 いいと思う理由_{りゆう}を具体的_{ぐたいてき}な例を出して説明しましょう。相手_{あいて}の意見をよく聞きましょう。		
2 質問・反論_{はんろん} よくわからなかったところを相手_{あいて}に確認_{かくにん}したり、根拠_{こんきょ}(evidence) を挙_あげて相手_{あいて}に反論_{はんろん}したりしましょう。		
3 質問・反論_{はんろん}への答え どう答えるか考えましょう。		
4 最終意見_{さいしゅういけん} 論理的_{ろんりてき}に (logically) 自分たちの意見をまとめましょう。		

2. 客観的に (objectively) **どちらが説得力** (persuasive ability) **があったかを考えましょう。**

〈ディベート判定表〉

ディベートトピック「住むなら田舎がいいか、都会がいいか」		判定者	
	評価の観点	田舎	都会
1　最初の意見を述べる	主張の内容ははっきりしていたか 理由・根拠がしっかり述べられていたか	／3	／3
2　質問・反論をする	質問や反論の内容は、はっきりしていたか いい質問、反論だったか	／3	／3
3　質問・反論に答える	相手の質問や反論の内容にしっかり答えられたか 理由・根拠を挙げて答えられたか	／3	／3
4　最終意見を述べる	理由・根拠を挙げて主張できたか 相手の質問や反論がうまく生かされていたか 話し方はよかったか	／3	／3
	合計点	点	点
最終判定	［　田舎　／　都会　］　のほうがより説得力があった		
最終判定の理由			
コメント			

	評価 ひょうか
1．論理的に意見を述べられたか 　　ろんりてき　　　　　　　の	☆☆☆☆☆
2．相手の話を理解して、適切に (appropriately) 対応 (to respond) できたか 　　あいて　　　りかい　　　てきせつ　　　　　　　　　　たいおう	☆☆☆☆☆
3．グループで協力できたか 　　　　　　きょうりょく	☆☆☆☆☆
4．ディベートに積極的に (actively) 参加できたか 　　　　　　せっきょくてき　　　　さんか	☆☆☆☆☆
5．話し方（声の大きさ、速さ、発音、流暢さ (fluency)） 　　　　　　　　　　　　　　　　りゅうちょう	☆☆☆☆☆
6．態度 (attitude)（視線 (glance)、表情 (facial expression)、ジェスチャー） 　　たいど　　　　　　しせん　　　　ひょうじょう	☆☆☆☆☆
7．表現の正確さ 　　ひょうげん　せいかく	☆☆☆☆☆
8．表現の豊かさ 　　ひょうげん　ゆた	☆☆☆☆☆
総合評価 (overall) そうごうひょうか	★★★★★

コメント

意見文を書く Writing Opinions

「住むなら田舎がいいか都会がいいか」について、あなたの意見を書きましょう。
ディベートの時のグループと同じでなくてもいいです。

◇文のスタイル：です・ます体
◇長さ：400字程度（±10% = 360〜440字）

 書くときのポイント Key points

1. ディベートのメモを振り返って (to reflect)、田舎と都会どちらがいいか決めましょう。

2. アウトラインを書きましょう。ディベートの時に出なかった理由を書いてもいいです。

例

【はじめに】	あなたの考え 　　田舎がいい！
【本文】	理由1　体にいい 　・車が少ない　→　空気がきれい 　・のんびりしている　→　気持ちが楽 　・野菜がおいしくて、安い　→　体にいい食事　→　元気になれる 理由2　話すのが好き 　近所の人と　　都会では話さない　⇔　田舎ではよく話す 　　　　　　　　　　　　↑　　　　　　　　　↑ 　わたしの経験　　大学で　　　　　　　　実家
	予想される (to be expected) 反論　暇、つまらない あなたの答え　たまに大きい町に行けばいい
【おわりに】	まとめ 　1. 体にいい 　　　　　　　　　　　　　→　田舎がいい！ 　2. わたしは人と話すのが好き

【はじめに】	あなたの考え
【本文】	理由1 りゆう
	理由2 りゆう
	予想される反論 よそう　　はんろん
	あなたの答え
【おわりに】	まとめ

3. 例と構成 (structure) を参考にして、作文を書きましょう。内容に合うタイトルをつけま
   こうせい　　　　　　さんこう　　　　　　　　　　　　　　　　　ないよう
   しょう。

例

田舎がいい！
いなか

　わたしは都会より田舎に住むのがいいと思います。そう思う理由は二つあります。
　　　　　　いなか

　一つ目の理由は、田舎の生活は、体にいいからです。田舎は車が少ないので、空
　　　りゆう　　いなか　　　　　　　　　　　　　　いなか　　　　　　　　　　　くう
気がきれいです。生活はのんびりしていますから、気持ちも楽です。そして、おい
き　　　　　　せいかつ
しい野菜が安く買えるので、毎日体にいい食事ができます。

　二つ目の理由は、わたしが人と話すのが好きだからです。田舎では都会と違って、
　　　　りゆう　　　　　　　　　　　　　　　　　　　　　いなか　　　　ちが
誰とでも話します。例えば、実家がある町では、初めて会ったお店の人でも買い物
だれ　　　　　　　　　　　じっか
について相談したり、知らない他のお客さんにアドバイスをもらったりします。わ
　　　そうだん
たしは今、大きい町に住んでいますが、ここでは友達以外とは全然話しません。
　　　　　　　　　　　　　　　　　　　　　　ともだち　　　　ぜんぜん

　確かに、田舎の生活はつまらないという意見もあります。でも、毎日忙しいのは
　たし　　いなか　　　　　　　　　　　　　　　　　　　　　　　　いそが
大変です。大きい町には、ときどき遊びに行けばいいのではないでしょうか。
たいへん　　　　　　　　　　　　あそ

　このように、体によくて、人と話せる田舎の町にわたしは住みたいと思います。
　　　　　　　　　　　　　　　　　いなか

(402字)

わたしは、住むなら［　田舎　／　都会　］がいいと思います。
　　　　　　　　　　いなか

そう思う理由は二つあります。
　　　　りゆう

一つ目の理由は、＿＿＿＿＿＿＿＿＿＿＿＿＿＿からです。＿＿＿＿＿＿＿＿＿＿＿＿＿。
　　　りゆう　　　　　　　　　　　　　　　　　　　　　　（根拠になる例や経験）
　　　　　　　　　　　　　　　　　　　　　　　　　　　　　こんきょ　　　　けいけん

二つ目の理由は、＿＿＿＿＿＿＿＿＿＿＿＿＿＿からです。＿＿＿＿＿＿＿＿＿＿＿＿＿。
　　　りゆう　　　　　　　　　　　　　　　　　　　　　　（根拠になる例や経験）
　　　　　　　　　　　　　　　　　　　　　　　　　　　　　こんきょ　　　　けいけん

もちろん、［　田舎　／　都会　］は＿＿＿＿＿＿＿＿＿＿という人もいるで
　　　　　　いなか　　　　　　　　　（予想される反論）
　　　　　　　　　　　　　　　　　　　よそう　　　はんろん

しょう。

ですが、＿＿＿＿＿＿＿＿＿＿＿＿＿＿＿＿＿＿＿＿＿＿。
　　　　　　　（反論へのあなたの答え）
　　　　　　　　はんろん

この二つの理由から、私は住むなら［　田舎　／　都会　］がいいと思います。
　　　　　りゆう　　　　　　　　　　いなか

- □ 1. タイトルと自分の名前が書かれているか。
- □ 2. 【はじめに】に、田舎と都会のどちらがいいか書かれているか。
　　　　　　　　　いなか
- □ 3. 【本文】に、自分の考えを説明する理由・根拠が書かれているか。
　　　　　　　　　　　　　　　　りゆう　こんきょ
- □ 4. 【おわりに】に、自分の意見が書かれているか。
- □ 5. ユニットで学習した表現を使っているか。
　　　　　　　　　　ひょうげん
- □ 6. 字や言葉の間違いがないか。
　　　　ことば　まちが
- □ 7. 「です・ます」体で 400 字程度になっているか。
　　　　　　　　　　たい　　　ていど
- □ 8. 書式 (format) や体裁 (style) は整っているか。
　　　しょしき　　　　　ていさい　　　　ととの

大学生活の過ごし方
せい かつ　　す　　　かた
How Students Spend Their College Days

ていねいに読む　Intensive Reading
学生生活と時間
せい かつ
School life and time

すばやく読む　Speed Reading
学生生活とお金
せい かつ
School life and money

聞く　Listening
1 働く大学生たち
Working university students

2 大学生活で力を入れたこと
せい かつ
University life endeavors

話す活動　Speaking Activity
発表する
はっ ぴょう
Presentation

書く活動　Writing Activity
説明文を書く
Writing a Report

このユニットのねらい
1) 調査データが読み取れる。
2) 調査データを基にした説明ができる。
3) 二つ以上の事柄について、比較しながら説明できる。

Aims of this unit
1) Be able to interpret survey data.
2) Be able to give explanations based on survey data.
3) Be able to explain while comparing and contrasting multiple matters.

1. 大学生活と高校生活とを比べてください。大学生になってから、次の時間は多くなりましたか。

例) 勉強する時間：

勉強する時間は、高校の時より（大学のほうが）多くなりました。

1) 授業の予習や復習のための時間

2) 授業と関係のない勉強をする時間

3) 読書時間

4) 遊ぶ時間

2. 自分のことについて教えてください。

1) 自宅生ですか。

[　はい　／　いいえ　]

┗━➤どんなところに住んでいますか。

[　大学の寮　／　アパート　／　その他＿＿＿＿＿＿　]

2) サークル活動やクラブ活動をしていますか。
_{かつどう}　　　　　_{かつどう}

3) アルバイトをしていますか。

3. 大学生活について、次の質問に答えてください。
　　_{せいかつ}

1) あなたの専攻は文系（人文科学・社会科学）ですか。理系（自然科学）ですか。
　　　　　　_{せんこう}　　_{ぶんけい}　_{じんぶん か がく}　_{しゃかい か がく}　　　　　_{りけい}　　_{し ぜん か がく}

2) 何学部ですか。

3) 一週間に何科目、履修していますか。
　　　　　　　　　　_{り しゅう}

4) 卒業する時に、卒業論文（卒論）を書かなければなりませんか。
　　_{そつぎょう}　　　_{そつぎょうろんぶん}　_{そつろん}

5) あなたの大学の授業料は高いと思いますか。
　　　　　　　　　_{じゅぎょうりょう}

6) 奨学金をもらっていますか。
　_{しょうがくきん}

7) 親から仕送りをもらっていますか。
　　　　_{し おく}

ていねいに読む　Intensive Reading

◆1回目：辞書や単語リストを見ないで読んでください。**かかった時間**　＿＿＿＿分
◆2回目：辞書や単語リストで調べた言葉を書いておいてください。

学生生活と時間

🎧 U3-1

学生相談室　杉原　裕子

　新入生の皆さん、合格おめでとうございます。

　大学時代は、自分の時間が人生の中で一番たくさんある時だと言われることがあります。特に、大学生になって初めて一人暮らしを始めた人は、自分の時間をどう使えばいいか真剣に考えるようになったと思います。サークルに入って活動しようか、それとも、アルバイトをしようかなどと迷うこともあるでしょう。参考に、本学の学生たちが実際にどのような時間の使い方をしているのか、調査結果を見てみましょう。図1と2は、本学の学生を対象に毎年行っている学生の生活時間に関する調査の結果です。

　図1は、住んでいる場所のタイプと通学時間を男女別に示したグラフです。男子学生と女子学生では、通学時間はあまり変わりませんが、自宅生は平均1時間で、自宅外生はその半分の平均30分弱となっています。自宅外生は通学時間が短いので、寮やアパートで過ごす時間が長くなります。本学の自宅外生の約20%は寮に住んでいますが、寮には留学生や大学院生も住んでいます。背景の違う人たちとおしゃべりするのは、楽しいだけでなく勉強にもなるでしょう。アパートやマンションに住んでいる人は、一人でいる時間

が長いので、その時間をどのように使えばいいか悩むかもしれませんが、そうやって一人の時間を持つことはとても大切で貴重なことだと思います。一方、自宅生は通学に往復２時間ほどかかっていますが、この時間を読書などにうまく使えば有意義な時間にできるでしょう。

図1　住んでいる場所と通学時間

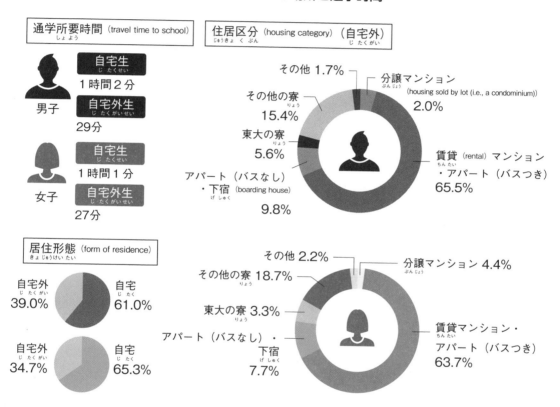

出典：東京大学 2016 年（第 66 回）学生生活実態調査より
「通学所要時間（片道）」「現在の住居区分（自宅外のみ）」「現在の住居形態」

　図２は、一週間のうち何にどのぐらいの時間をかけるか、文系の学生と理系の学生で比較したデータです。授業時間は、文系が平均 14.4 時間、理系が 19.2 時間で、理系のほうが長くなっています。授業の課題や準備にかける時間も理系のほうが長いです。また、卒業研究や卒業論文にかける時間も理系のほうが長く、約２倍の 23.8 時間となっています。理系の学生は実験があって、これにかなり時間がかかるからかもしれません。

20

25

授業と関係のない学習やサークル活動、アルバイトには、文系の学生のほうが長く時間をかけています。つまり、❶授業に関係のあることには理系のほうが、授業に関係のないことには文系のほうが、それぞれ長く時間をかけているということが言えそうです。文系の学生と理系の学生を比べると、理系の学生のほうが勉強に熱心なように見えますが、文系の学生が勉強していないかと言えばそうではありません。❷授業と関係のない学習とはどんなものか、なぜその勉強をしているのか、次の調査では、インタビューなどで詳しく聞いてみたいと思います。

新入生の皆さん、この調査結果を見てどんなことを考えましたか。これから、自分の時間をどんなことに使おうと思いますか。貴重な大学生活、どうか有意義に過ごしてください。

図2　学生の1週間の時間の使い方

📖 文系　🔬 理系

授業・実験への出席		授業・実験の課題、準備・復習		授業とは関係のない学習	
平均 14.4時間	平均 19.2時間	平均 6.3時間	平均 7.3時間	平均 5.7時間	平均 3.7時間

卒業研究・実験・卒論（該当者のみ）		サークル・クラブ活動		アルバイト・仕事	
平均 11.4時間	平均 23.8時間	平均 8.1時間	平均 6.7時間	平均 6.9時間	平均 5.5時間

出典：東京大学 2016年（第66回）学生生活実態調査より「1週間の平均的な生活時間」

理解チェック Check your understanding　🎧 U3-2

文を聞いて、本文と同じだったら○を、違っていたら×を書いてください。

1)　　　2)　　　3)　　　4)　　　5)

内容を読み取る Reading comprehension

1. 調査の概要 (summary) を書いてください。

1) 調査者	
2) 調査対象者	
3) 何について	

2. 調査結果からわかることは何ですか。表に書いてください。

1) 通学時間	①男子学生と女子学生
	②自宅生と自宅外生
2) 授業時間	[　文系　／　理系　] のほうが長い
3) サークルの時間	[　文系　／　理系　] のほうが長い
4) アルバイトの時間	[　文系　／　理系　] のほうが長い

3. 自宅外生の住む場所について、それぞれメリット (advantage) は何だと書いていますか。

1) 寮　＿＿＿＿＿＿＿＿＿＿＿＿＿＿＿＿＿＿＿＿＿こと

2) アパートやマンション

＿＿＿＿＿＿＿＿＿＿＿＿＿＿＿＿＿＿＿＿＿こと

4. この大学の文系の学生と理系の学生を比べると、理系の学生のほうがよく勉強している
と言えますか。それはなぜですか。

[　言えます　／　言えません　]。

なぜなら、＿＿＿＿＿＿＿＿＿＿＿＿＿＿＿＿＿からです。

考えを述べる・広げる Sharing of knowledge

1. この大学で ❶授業に関係のあること に、理系のほうが文系より長い時間をかけている
   のは、どうしてだと思いますか。

   _____からです。

2. あなたは ❷授業と関係のない学習 をしていますか。それは、どんな勉強で何のために
   していますか。

   _____ため、_____ています。

3. 大学生活ではどんなことに時間を使うのがいいと思いますか。それはなぜですか。

   _____に時間を使うのがいいと思います。

   なぜなら、_____からです。

4. 大学情報サイトなどで大学を検索して (to search (online))、その大学の学生生活について、
   2分ほど話してください。調べたデータの URL はブックマークをしておきましょう。

すばやく読む　Speed Reading

◇辞書や単語リストを見ないで読んでください。**かかった時間** ＿＿＿＿＿**分**
◇読み終わったら、質問に答えてください。

 内容を読み取る Reading comprehension

1．p. 67 の図を見てください。次の仕送り金額の学生数は、a. 〜 c. のうちどれですか。

1)（　　　　）仕送り 10 万円以上　　2)（　　　　）仕送り 5 万円未満

3)（　　　　）仕送り 0 円

2．2020 年の調査の概要を書いてください。

1) 調査の目的	ため
2) 調査者	全国大学生活協同組合連合会
3) 調査対象者（人数）	（　　　　人）
4) 調査期間	
5) 調査方法	

3．結果を一文で説明してください。

考えを述べる・広げる Sharing of knowledge

1．2000 年ごろから 2020 年まで、学生が親からもらう仕送りが日本で増えていないのは、
なぜだと思いますか。

＿＿＿＿＿＿＿＿＿＿＿＿＿＿＿＿＿＿＿＿＿＿＿＿＿＿＿＿＿＿からです。

2．大学生が親から仕送りをもらうことについて、あなたの考えを教えてください。

学生生活とお金

　一人暮らしをしている大学生にとって、毎月いくらで生活するか、何にお金を使うか、ということはとても大きな問題です。奨学金とアルバイトだけで生活している学生もいるかもしれませんが、ほとんどの学生は親から仕送りをしてもらっていることでしょう。

5　では、一人暮らしをしている大学生は、毎月いくらぐらい親から仕送りをしてもらっているのでしょう。このグラフは、1995年から2020年までの学生がもらう親からの仕送り金額を示したものです。この調査は、学生生活を知るという目的で全国大学生活協同組合連合会が行っています。一番新しい2020年の結果は、2020年10月から11月にかけて、全国の大学生

10　11,028人を対象に行われたWEBによるアンケート調査のものです。

　調査の結果を見ると、仕送りが10万円以上の学生の割合が急に減っていることがわかります。特に、2001年から2010年にかけて仕送り10万円以上の割合が約60%から約30%へと半分に減っています。それに対して、仕送りが5万円未満の学生は、2020年には1995年の約3倍に、仕送りが

15　0円の学生は4倍以上に増えています。つまり、学生がもらう親からの仕送りは全体的に減っているわけです。

　仕送りが減った学生は、生活費を節約したり、アルバイトを増やしたりしなければなりません。このような学生が増えていることは大きな問題です。

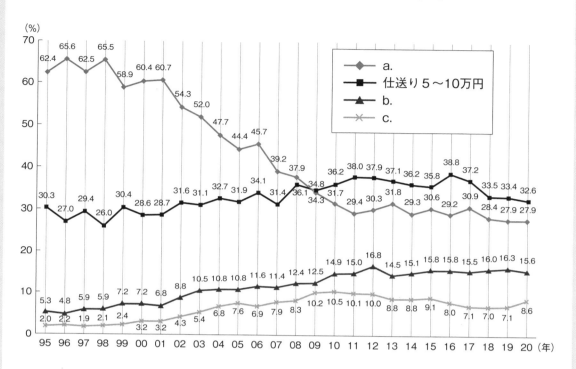

図　一人暮らしの学生がもらう親からの仕送り金額

出典：全国大学生活協同組合連合会　第 56 回学生の消費生活に関する実態調査報告書

 聞く Listening

1 働く大学生たち

発表を聞いて、次の問題に答えてください。

図 学生のアルバイト時間

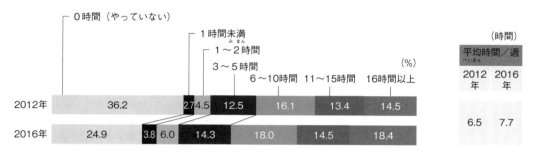

出典：ベネッセ教育総合研究所　第3回 大学生の学習・生活実態調査報告書 2016 年

内容を聞き取る Listening comprehension

1. 調査の概要を書いてください。

1) 調査者	ベネッセ教育総合研究所	
2) 調査期間		
3) 調査対象（人数）		（　　　　　　人）
4) 調査方法		

2. 調査の結果について、数字を聞き取ってください。

	2012 年	2016 年
1) アルバイトを全然していない人	%	%
2) アルバイトを週に 16 時間以上している人	%	%

3. 結果を一文で説明してください。

考えを述べる・広げる Sharing of knowledge

1. 大学生のアルバイトの目的は何だと思いますか。

_____ ため

2. 大学生のアルバイトについてあなたは賛成 (agree) ですか、反対 (disagree) ですか。また、それはなぜですか。

[　賛成　／　反対　] です。

なぜなら、_____ からです。

② 大学生活で力を入れたこと 🎧 U3-5

発表を聞いて、次の問題に答えてください。

図　大学生活で力を入れたこと

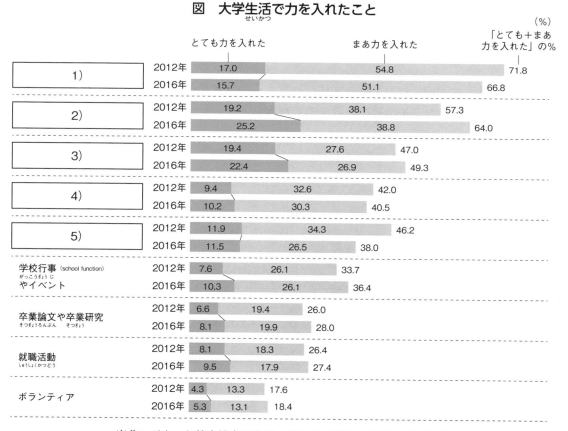

		とても力を入れた	まあ力を入れた	「とても＋まあ力を入れた」の%
1)	2012年	17.0	54.8	71.8
	2016年	15.7	51.1	66.8
2)	2012年	19.2	38.1	57.3
	2016年	25.2	38.8	64.0
3)	2012年	19.4	27.6	47.0
	2016年	22.4	26.9	49.3
4)	2012年	9.4	32.6	42.0
	2016年	10.2	30.3	40.5
5)	2012年	11.9	34.3	46.2
	2016年	11.5	26.5	38.0
学校行事 (school function) やイベント	2012年	7.6	26.1	33.7
	2016年	10.3	26.1	36.4
卒業論文や卒業研究	2012年	6.6	19.4	26.0
	2016年	8.1	19.9	28.0
就職活動	2012年	8.1	18.3	26.4
	2016年	9.5	17.9	27.4
ボランティア	2012年	4.3	13.3	17.6
	2016年	5.3	13.1	18.4

出典：ベネッセ教育総合研究所　第3回 大学生の学習・生活実態調査報告書 2016 年

内容を聞き取る Listening comprehension

1. 調査の概要を書いてください。

1) 発表の目的		ため
2) 調査者	ベネッセ教育総合研究所	
3) 調査対象		
4) 調査時期		

2. グラフの 1) ～ 5) に入るのは、次の活動 a. ～ e. のうちどれですか。

> a. 大学の授業　　b. 大学以外の学習　　c. アルバイト
> d. サークルや部活動　　e. 読書

1)　　　　　2)　　　　　3)　　　　　4)　　　　　5)

 考えを述べる・広げる Sharing of knowledge

1. 発表者は、大学生にとって何が大切だと考えていますか。また、あなたはそれに賛成ですか、反対ですか。その理由も教えてください。

【発表者の考え】

_____

【あなたの考え】

[　賛成　／　反対　] です。

なぜなら、_____からです。

2. あなたが今の生活の中で力を入れていることはありますか。それを、いつから、何のためにしていますか。

発表する Presentation

あなたの国の大学生活について調べて、データを基にして (to base on) 発表しましょう。

◇発表時間：5分　　質疑応答 (Q&A session) の時間：2分　　合計：7分
◇スライド：1枚（説明するグラフ）　データの出典 (source) を書いておいてください。

 準備 Preparation

1. 発表のテーマを決めましょう。二つ以上のものを比較しているデータを探してください。

　　　テーマの例）履修科目数 (number of courses taken)、時間の使い方（課題や予習復習、
　　　　　　　　　読書、アルバイト、サークル・クラブ活動）、仕送りの金額

　　　比較の例）A大学とB大学、日本の大学と自国の大学、A学部とB学部、
　　　　　　　　文系と理系、男子学生と女子学生、1年生と4年生、10年前と今

2. 以下は、「大学生活で力を入れたこと」の発表のアウトラインです。

例

【はじめに】 テーマ 選んだ理由	・あいさつ ・大学生活で力を入れたこと ・日本の大学生が何に力を入れているか知りたい
【本文】 調査の概要 結果	調査の概要 　調査者（誰が）：ベネッセ教育総合研究所 　目的（何のために）：日本の大学生の生活について調べる 　調査期間（いつ）：2012年と2016年 　調査対象（誰に）：日本の大学生 　調査方法（どのように）：インターネットのアンケート調査
	結果 ・授業や大学以外の学習に力を入れている人が減っている ・アルバイトやサークルなど勉強以外のことに力を入れている人が増えた ・読書の時間が減った
【おわりに】 まとめ・あいさつ	・活動も大事だが、読書など一人の時間も大切 ・あいさつ

自分の発表のアウトラインを書いてみましょう。

【はじめに】 テーマ 選んだ理由	
【本文】 調査の概要 結果	調査の概要 　調査者（誰が） 　目的（何のために） 　調査期間（いつ） 　調査対象（誰に） 　調査方法（どのように）
	結果
【おわりに】 まとめ あいさつ	

3. スクリプトを作りましょう。「大学生活で力を入れたこと」のスクリプトを参考にしましょう。

☆に色をつけましょう

	評価 ひょうか
1．時間・スライドが指示 (instructions) に合っているか し　じ	☆☆☆☆☆
2．構成 (structure) が指示に合っているか こうせい　　　　　　　し　じ	☆☆☆☆☆
3．論理的に (logically) 発表を組み立てられたか ろんりてき　　　　　　はっぴょう　く　た	☆☆☆☆☆
4．正確で適切な (appropriate) データを基にしたか せいかく　てきせつ　　　　　　　　　　　もと	☆☆☆☆☆
5．聞き手への配慮 (concern)（難しい言葉の説明など） き　て　　　　はいりょ　　　　　　　ことば	☆☆☆☆☆
6．話し方（声の大きさ、速さ、発音、流暢さ (fluency)） りゅうちょう	☆☆☆☆☆
7．態度 (attitude)（視線 (glance)、表情 (facial expression)、ジェスチャー） たい　ど　　　　　　しせん　　　　　　ひょうじょう	☆☆☆☆☆
8．表現の正確さ ひょうげん　せいかく	☆☆☆☆☆
9．表現の豊かさ ひょうげん　ゆた	☆☆☆☆☆
10．質問にわかりやすく答えられたか	☆☆☆☆☆
11．他の人の発表に質問できたか はっぴょう	☆☆☆☆☆
総合評価 (overall) そうごうひょうか	★★★★★

コメント

説明文を書く Writing a Report

あなたの国の大学生活について調べて、データを基にして説明文を書きましょう。
発表した内容と同じでも、違っていてもいいです。

◇文のスタイル：です・ます体
◇長さ：600字程度（±10% = 540〜660字　データは含みません）

 書くときのポイント　Key points

1．以下は、「日本の大学生の読書時間の変化」の説明文のアウトラインです。

 例

【はじめに】	テーマ 　　日本の大学生の読書時間の変化（2004年〜2020年）
【本文】	調査の概要 　・「全国大学生活協同組合連合会」が毎年、アンケート調査 　・対象は、日本の大学生1年生から4年生、約10,000人
	結果 　・全然読書をしない人　　　2006年〜2012年は35%ぐらい 　　　　　　　　　　　　　　　2012年〜2016年は約50%に 　　　　　　　　　　　　　　　2016年〜あまり変わらない 　・30分未満の人　　　　　　2004年〜あまり変わらない 　・30分〜60分の人　　　　　減っている 　・60分〜120分の人　　　　あまり変わらない 　・120分以上の人　　　　　　あまり変わらない
【おわりに】	自分の意見 　・大学生なのに全然読書をしない人が多すぎる！ 　・スマホが原因？ 　・大学生だから本を読むことは大切

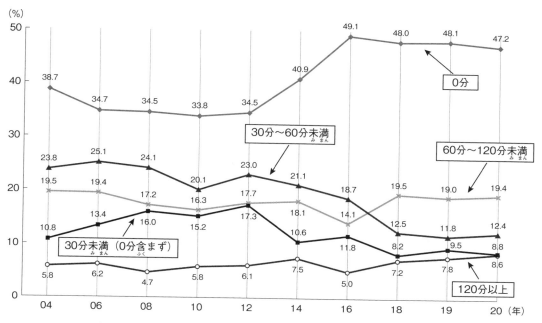

図　大学生の読書時間

出典：全国大学生活協同組合連合会　第56回学生の消費生活に関する実態調査報告書

例を参考にして、アウトラインを書きましょう。

【はじめに】	テーマ
【本文】	調査の概要
	結果
【おわりに】	自分の意見

2. 例と構成 (structure) を参考にして、作文を書きましょう。内容に合うタイトルをつけましょう。

例

日本の大学生の読書時間の変化

わたしは、日本の大学生の読書時間の変化について調べてみました。特に、2014年から2020年まで、どのように変わったかについて説明します。

一番最近の調査は、全国大学生活協同組合連合会が、2020年10月から11月にかけて、日本全国の大学1年生から4年生、11,028名を対象に行ったものです。調査方法は、WEBによるアンケート調査です。

このグラフは、2004年から2020年までの一日の読書時間を示しています。グラフから、全然読書をしない人が、2012年から急に増えていることがわかります。2012年は35%ぐらいだったのに対し、2016年からは約50%になっています。一方、読書時間が60分から120分未満の人と120分以上の人の割合は、2004年からあまり変わっていません。

この結果から、大学生の読書時間は、60分以上については2004年からあまり変わっていませんが、全然読書しない人は2012年から増えて、今は大学生の半分ぐらいいることがわかります。これは、スマホをみんなが持つようになって、紙の本を読まなくなってインターネットの情報を見るようになったからかもしれません。

わたしは、日本の大学生で本を一日に全然読まない人が50%もいることにびっくりしました。本を読まないで、何を勉強しているのか不思議です。今、本は、紙だけでなくデジタルでも読めます。インターネットで情報を得るだけでなく、紙でもデジタルでもいいので、本を読むことは大切だと思います。

(629字)

作文の構成
こうせい

＿＿＿＿＿＿＿＿＿＿＿＿＿＿について調べてみました。
　　　　　　　　　　　　　　しら

この調査は、＿＿＿＿＿＿＿＿＿＿＿＿が、＿＿＿＿から＿＿＿＿にかけて、
　　ちょうさ　　　　　　（調査者）　　　　　　　　　　　　　　（期間）
　　　　　　　　　　　　ちょうさしゃ　　　　　　　　　　　　　　きかん

＿＿＿＿＿＿＿＿を対象に行ったものです。調査方法は、＿＿＿＿＿＿＿です。
　（対象者と人数）　たいしょう　おこな　　　　　　　ちょうさほうほう
　たいしょうしゃ　にんずう

このグラフは、＿＿＿＿＿＿＿＿＿＿＿＿を 示しています／表しています。
　　　　　　　　　　　　　　　　　　　　　しめ　　　　　　あらわ

調査の結果、＿＿＿＿＿＿＿＿＿＿＿＿＿＿ことがわかります。
ちょうさ　けっか

一方／それに対して、＿＿＿＿＿＿＿＿＿＿＿＿。
いっぽう　　　　たい

この結果から、＿＿＿＿＿＿＿＿＿＿＿＿＿ことがわかりました。
　　けっか

わたしは、＿＿＿＿＿＿＿＿＿＿＿＿＿＿と思います。

セルフチェック　Check the statements

☐ 1. タイトルと自分の名前が書かれているか。

☐ 2. 【はじめに】に、テーマが書かれているか。

☐ 3. 【本文】で、調査の概要と結果がわかりやすく説明されているか。
　　　ほんぶん　ちょうさ　がいよう　けっか

☐ 4. 【おわりに】に、自分の意見が書かれているか。

☐ 5. 根拠 (evidence) となるデータがあるか。
　　　こんきょ

☐ 6. データの出典が書かれているか。
　　　　　しゅってん

☐ 7. ユニットで学習した表現を使っているか。
　　　　　　　　　ひょうげん

☐ 8. 字や言葉の間違いがないか。
　　　　ことば　まちが

☐ 9. 「です・ます」体で 600 字程度になっているか。
　　　　　　　　たい　　　　　ていど

☐ 10. 書式 (format) や体裁 (style) は整っているか。
　　　しょしき　　　　　ていさい　　　　ととの

Unit 4

日本各地の魅力
かくち　　　みりょく
Attractions All Around Japan

ていねいに読む　Intensive Reading
茨城に移住しませんか
いばらき　　い じゅう
Why not move to Ibaraki?

聞く　Listening
1 旅館と温泉 日本一
おん せん
Best of Japan: Hot spring resorts

2 山形県のいいところ
やま がた
Great things about Yamagata

すばやく読む　Speed Reading
魅力的なガイドブックとは
み りょく てき
What makes a guidebook appealing?

書く活動　Writing Activity
記事を書く
き じ
Writing an Article

話す活動　Speaking Activity
ディスカッションをする
Discussion

このユニットのねらい
1) 日本の地方の特色について理解を深める。
2) 必要な情報を収集することができる。
3) 特定の読者に向けた記事が書ける。
4) ディスカッションで、自分の意見を述べたり、相手の意見を受けたり、司会者として議論を進めたりすることができる。

Aims of this unit
1) Deepen understanding of Japanese regions and their characteristics.
2) Be able to gather information when necessary.
3) Be able to write articles targeted towards certain audiences.
4) Be able to state your opinions, take in other's opinions, and act as a chairperson in discussions.

1. 次の県の場所はどこですか。

1) 茨城県 （　　　　　）
   いばらき
2) 静岡県 （　　　　　）
   しずおか
3) 大分県 （　　　　　）
   おおいた
4) 山形県 （　　　　　）
   やまがた

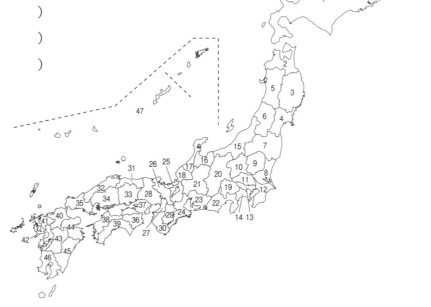

2. あなたの好きな日本の県について教えてください。

1) 好きな県はありますか。地図のどこにありますか。

2) その県が好きな理由は何ですか。
   りゆう

_____からです。

3) その県は何で有名ですか。

4) その県について、知っていることを教えてください。

3. 次の言葉の読み方と意味は何ですか。意味は英語など自分の知っている言葉で書いてください。

	読み方	意味
1) 観光客		
2) 出身地		
3) 都道府県		
4) 県庁所在地		
5) 産業		

4. （　　　）に入る言葉を a. ～ j. から選んでください。必要があったら、形を変えてください。

a. 盛ん	b. 東	c. 住む	d. 豊か	e. 暮らす
f. 自然	g. 育つ	h. 生産量	i. 魅力	j. 移住する

1) この町は、野菜や果物をたくさん作っていて、農業が（　　　　　　　　）です。

2) この町の（　　　　　　　　）は、長い歴史があることだと思います。

3) わたしは、生まれたのは大阪ですが、（　　　　　　　）のは京都です。

4) 青森県のりんごの（　　　　　　　　）は、日本で一番多いです。

5) 大学を卒業したら、他の国に（　　　　　　　　）たいです。

◇1回目：辞書や単語リストを見ないで読んでください。**かかった時間**　＿＿＿＿分
◇2回目：辞書や単語リストで調べた言葉を書いておいてください。

茨城に移住しませんか　🎧U4-1

　　茨城県は、毎年の「都道府県魅力度ランキング」で、最下位になることが多い県です。ちなみに、今年も最下位で、日本の中で一番魅力のない県になってしまいました。でも、わたしは、茨城は住むのにとてもいい所だと思っています。東京から茨城に移住して今年で25年になりますが、生まれ育った
5　東京よりも茨城を気に入っています。

　　この記事では、茨城県に住もうと考えている皆さんに、茨城県について簡単に紹介したいと思います。そして、茨城のよさを知ってもらえたらと願っています。

【　①　・　②　】

10　茨城県は、関東地方にある県で、県庁所在地は水戸市です。東京の北東にあって、東京から60kmほど離れています。東京まで電車で1時間ほどで行けるので、通学や通勤をするのも便利です。

　　自然も豊かで、霞ヶ浦という日本で二番目に大きな湖がありますし、利根川という日本で二番目に長い川もあります。湖や川でとれる魚を使った
15　料理も有名です。筑波山という山もあります。形が美しいので、昔から「西に富士、東に筑波」と言われています。高さはそれほど高くなくて877m

82

で、3,776mの富士山と比べると、約4分の1です。低いので登りやすく、ハイキングにとてもいいです。茨城県の中でその他に自然が有名な場所としては、袋田の滝があります。この滝は、冬になると滝全体が凍ってしまうことで有名です。滝の周りを散歩しながら、ゆっくり時間を過ごすことができます。機会があったら、ぜひ行ってみてください。 20

【 ③ 】

茨城は、昔から人々が豊かに暮らしていた場所だと言われています。江戸時代には、水戸に徳川家の「藩」がありました。水戸は海と陸の両方からアクセスできる交通の重要な場所だったことから、水戸藩は栄えました。水戸 25 藩が作った偕楽園という公園があって、日本の三大名園の一つと言われています。梅の木がたくさんあるので、梅の季節の3月に行くのもいいでしょう。4

【 ④ 】

茨城県の主な産業は二つあって、一つは農業、もう一つは製造業です。農業の生産量は、北海道の次に多いと言われています。それほど知られていな 30 いかもしれませんが、メロンの生産量は日本一です。干し芋も日本一です。干し芋というのは、さつまいもを蒸して乾燥させた食べ物のことです。他にも、茨城県ではさまざまな果物や野菜を作っています。

その一方で製造業も盛んで、茨城には工場がたくさんあります。食品や電気、化学の工場など、分野はさまざまです。中でもビールは、大手メーカー 35 のキリンビールとアサヒビールの工場があるため、全国トップの生産量です。見学させてもらえる工場もたくさんあるので、興味がある工場を調べて行ってみるのも面白いと思います。

今回は、茨城県について、 ① と ② 、 ③ 、 ④ の点から、簡単に紹介しました。茨城に住んでみたいと思っていただけたら、とて 40 もうれしいです。

理解チェック Check your understanding

文を聞いて、本文と同じだったら○を、違っていたら×を書いてください。
_{ちが}

1)   2)   3)   4)   5)

 内容を読み取る Reading comprehension

1. 文章中の ☐ に入る言葉を a. ～ e. から選んでください。
_{ぶんしょうちゅう}   _{ことば}   _{えら}

   a. 歴史   **b.** 地理   **c.** 自然   **d.** 産業   **e.** 農業
    _{れきし}   _{しぜん}   _{のうぎょう}

   ①   ②   ③   ④

2. この記事を書いた人は、どんな人に向けて (for; aimed at)、この記事を書いていますか。
    _{きじ}   _む   _{きじ}

   _____人

3. 茨城県について、次の質問に答えてください。
   _{いばらき}

   1) 茨城県にある日本で二番目のものは、何ですか。
     _{いばらき}

   2) 筑波山のいいところは何ですか。
     _{つくばさん}

   _____ところ

   3) 水戸市にある有名な場所は何ですか。
     _{みと}

   4) 茨城県の農業で、日本で一番生産量が多いものは何ですか。
     _{いばらき}   _{のうぎょう}   _{せいさんりょう}

考えを述べる・広げる Sharing of knowledge

1. あなたは、茨城県に住んでみたいと思いましたか。それはなぜですか。

住んでみたいと ［　思います　／　思いません　］。

なぜなら＿＿＿＿＿＿＿＿＿＿＿＿＿＿＿＿＿＿＿＿＿＿＿＿＿からです。

2. 「魅力のある町」について考えましょう。

　1）一般的に（generally）魅力のある町にはどんな特徴（characteristics）があると思いますか。

　2）あなたにとって魅力のある町にはどんな特徴がありますか。

　3）一般的に魅力のある町と、あなたにとって魅力のある町を比べると、何か違いがありますか。

聞く Listening

① 旅館と温泉 日本一
おん せん

🎧 U4-3

ポッドキャストを聞いて、次の問題に答えてください。

内容を聞き取る Listening comprehension

1. 静岡県について、質問に答えてください。
しずおか

1) 2017 年の旅館の数はいくつですか。
かず

2) 静岡に旅館が多い理由はなぜだと言っていますか。
しずおか　　　　　　　　　り ゆう

_____からです。

3) 静岡で有名な観光地はどこですか。
しずおか　　　　かんこう ち

2. 大分県について、質問に答えてください。
おおいた

1) 2020 年の旅館の数はいくつですか。
かず

2) 温泉がたくさんある市はどこですか。
おんせん

3) 話をしている人は、大分県によく行きますか。
おおいた

考えを述べる・広げる Sharing of knowledge

あなたの知っている日本一は何ですか。旅館の数や温泉の数のように、日本の町や県の「一番」について、知っていることはありますか。知らない場合は、調べて発表しましょう。

② 山形県のいいところ　🎧 U4-4

インタビューを聞いて、次の問題に答えてください。

内容を聞き取る Listening comprehension

1. 山形県についての情報を表に書いてください。

1) 有名な物	
2) 有名な場所	
3) 日本一	
4) おいしい物	

2. 蔵王温泉スキー場について、質問に答えてください。

1) 蔵王温泉スキー場の雪はどんな雪ですか。

2) 東京からどのぐらいかかりますか。

3) 他にどんなことを言っていましたか。

3. 聞き取った情報を使って、山形県の説明をしてみましょう。

 考えを述べる・広げる Sharing of knowledge

あなたが行ってみたい観光地はありますか。そこはどんな所ですか。また、そこではどんなことができますか。

すばやく読む　Speed Reading

◇辞書や単語リストを見ないで読んでください。**かかった時間** ＿＿＿＿＿**分**

◇読み終わったら、質問に答えてください。

内容を読み取る Reading comprehension

1. 文を読んで、正しいものに○、間違っているものに×をつけてください。

1) （　　　　） 観光ガイドブックには、一般的に、観光地、食べ物、交通、泊まる場所の情報が載っている。

2) （　　　　） 観光ガイドブックには、観光情報以外の情報も書かれている。

3) （　　　　） 観光ガイドブックを作るときに大切なのは、読者のターゲットを決めることだ。

4) （　　　　） 観光ガイドブックには、できるだけたくさんの情報を入れたほうがいい。

5) （　　　　） 自分の経験が書かれていると、より魅力的なガイドブックになる。

2. 今回のガイドブックのターゲットはどんな人ですか。

考えを述べる・広げる Sharing of knowledge

1. 旅行の時によく使うガイドブックやウェブサイトはありますか。それをよく使う理由を教えてください。

2. ガイドブックを作るなら、あなたは日本のどの町を選びますか。それはなぜですか。また、どんな情報を載せたい (to list) ですか。

Unit
4
日本各地の魅力

魅力的なガイドブックとは

授業で、日本の地域の観光ガイドブックを作る活動をします。魅力あるガイドブックの作り方について、説明を読みましょう。

＊　　＊　　＊

　観光ガイドブックというのは、ある地域の観光におすすめの場所の情報を伝えるものです。行くべき観光地や見るべき祭り、海や山などでできる活動
5　についての情報が載っています。有名な食べ物が食べられるレストランや、お土産が買える店の情報も欠かせません。電車やバス、自動車、飛行機などを使ったその地域までの行き方やかかる時間、ホテルや旅館など泊まる場所の紹介もあります。また、その場所に行ってみたいと読者に思ってもらえるよう、観光情報以外に、その地域の地理、歴史、文化、産業、天気などの情
10　報も書かれています。

　　ただ、これらの情報を全て載せることはできません。ガイドブックを作るときに大切なのは、ターゲットを決めること、つまり、読者は誰かを考えることです。ターゲットが決まったら、どんな情報を入れるべきかが自然に決まります。

15　　今回のターゲットは、「海外から日本にやってくる、それほどお金をたくさん持っていない、珍しい物やことが好きな旅行客」です。よくあるガイドブックは、日本の有名な場所しか紹介していませんが、今回皆さんが作るガイドブックは、みんながあまり知らない場所や、観光客が普通はあまり行かない場所を取り上げて、「わあ、おもしろそう、行ってみたい」と思っても
20　らえるようなものにしましょう。

そのためには、自分の経験についても書くといいでしょう。個人的なエピソードがあると、自分も同じ経験をしたいと読者に思ってもらえるかもしれません。また、魅力的な写真やイラストがあると、読者もより行ってみたいという気持ちになるでしょう。

また、ガイドブックですから、正確で具体的な数字を載せる必要があります。数字があることで、読者は自分が本当に旅行することができるかどうか、現実的に考えることができます。金額や時間などの数字は最新のものにするよう、気をつけましょう。 25

25

＊　　＊　　＊

以上のアドバイスを基に、皆さんが紹介したい地域のガイドブックを書いてみましょう。 30

30

記事を書く　Writing an Article

日本の地方の町や村、観光地を紹介する記事（観光ガイド）を作りましょう。
かんこう ち しょうかい き じ かんこう

> ◇文のスタイル：「だ・である」体「です・ます」体どちらでもいい
> たい たい
> ◇長さ：A4 サイズ　写真を含めて 2 ページ（出典 (source) は 3 ページ目）
> ふく しゅってん

 書くときのポイント　Key points

1. 観光ガイドに書く場所を決めましょう。以下のウェブサイトが参考になります (to be of use
かんこう き さんこう
as reference)。興味深い記事を書くには、あまり有名ではない場所を選ぶといいでしょう。
きょう み ぶか き じ えら

- ◆ 「Travel Japan」　http://www.japan.travel　日本政府観光局
せい ふ かんこうきょく
- ◆ 「全国観るなび」　http://www.nihon-kankou.or.jp　日本観光振興協会
ぜんこく み かんこうしんこうきょうかい

その他、都道府県の公式観光情報サイトも便利です。
た と どう ふ けん こうしきかんこうじょうほう べん り

2. 書く場所について、地理・自然、歴史、産業の基本的な情報を集めましょう。
し ぜん れき し き ほんてき じょうほう

3. ターゲットに合わせて、必要な情報を集めましょう。予算はいくらか、季節はいつかな
ひつよう じょうほう よ さん き せつ
どいろいろ考えましょう。食べることが好きな人など、もっと詳しく決めてもいいです。
くわ き

基本ターゲット：日本に旅行に来たいと考えている、日本語能力が中級〜上級の人
き ほん

4. ページのどこにどの情報を入れるか考えながら、文章を書きましょう。内容に合うタイ
じょうほう ぶんしょう ないよう
トルをつけましょう。

セルフチェック　Check the statements

- ☐ 1. タイトルと自分の名前が書かれているか。
- ☐ 2. オリジナリティがあるか。
- ☐ 3. ターゲットが必要とする情報が書かれているか。
ひつよう じょうほう
- ☐ 4. 読み手のレベルに合わせて、わかりやすく書かれているか。
よ て
- ☐ 5. ユニットで学習した表現を使っているか。
ひょうげん
- ☐ 6. 字や言葉の間違いがないか。
ことば まちが
- ☐ 7. 指定された文のスタイル、ページ数になっているか。
し てい すう
- ☐ 8. 書式 (format) や体裁 (style) は整っているか。
しょしき ていさい ととの

例

新潟へようこそ！
アダム・コワルチャック

「水の都」新潟市

新潟市は新潟県庁所在地で、中部地方に位置している。新潟県に面していることと、信濃川と阿賀野川の両方が都市を流れることから、新潟市は時々「水の都」と呼ばれている。2018年現在、新潟市の人口は約80万人である。

新潟は長い歴史がある。縄文時代（14,000～1,000B.C.）から人々が新潟に住んでいたと言われているが、その時の土地の多くは海の中だった。10世紀に信濃川の河口に港ができられて、16世紀に新潟と呼ばれるようになった。現在、新潟は日本の西海岸の重要な港町と考えられている。その位置のために、新潟は貿易と文化交流の主要な場所になった。自然の豊かさと伝統的な祭りなど、新潟は魅力がたくさんあって、本物の日本の体験を探している方に最適だと言える。

萬代橋

明治初期に信濃川に架かる有名な萬代橋。その時はこの橋が日本で一番長い橋だった。全長306.9メートル。

旧齋藤家別邸

1918年に建てられた旧齋藤家別邸は、近代日本の建築の傑作だと考えられている。
大人：300円
小中学生：100円

日本料理の中心

新潟で有名な食べ物を一つ挙げるとすれば、それは米で、特にコシヒカリと呼ばれる品種である。実は、新潟地方の米は日本で一番だと言う人も多い。しかし、何がそんなに特別なのだろうか。近くの山からの雪解け水が新潟の美味しいご飯の秘密だと言われている。米の生産が新潟の主な産業だ。

新潟の他の有名な食べ物では、「へぎそば」も忘れないでほしい。へぎそばというのは、海藻が入ったそばで、へぎと呼ばれる器で提供される。

ああ、酒についても忘れないでほしい。重要なイベントは、毎年3月に開催される「にいがた酒の陣」だ。このイベントでは、500種類以上の日本酒を試飲できる。

リラックスするのもいい

新潟付近には140以上の温泉旅館がある。冬にはスキー場とスノーボードをする人々がスキー場を訪れた後、近くの松之山温泉などで温泉を楽しめる。

ロックンロール！

新潟では、季節ごとに多くのイベントが行われている。夏には、苗場スキー場で行うロックフェスティバルを見ることができる。

東京から新潟まで

飛行機　1時間
新幹線　2時間
車　4時間
バス　6時間

93

ディスカッションをする Discussion

クラスメートが作った観光ガイドを読んで、どの観光ガイドが一番いいかディスカッションしましょう。

1．3〜4人のグループになりましょう。クラスメートの観光ガイドを読みましょう。

2．自分が作った観光ガイドについて、よさが伝わるように発表しましょう。

　発表：2分　質疑応答（Q&A session）：2分

　1) なぜその場所を選んだか

　2) どんな読者を考えてガイドを書いたか（食べることが好きな人など）

　3) その場所の魅力は何か

　4) ガイドを作る時に特に力を入れたことは何か

3．どの観光ガイドが一番いいか、話し合って決めましょう。司会者 (chairperson)、書記 (minute-taker)、報告者 (presenter) を決めてから、話し合いを始めましょう。

　ディスカッション時間：15 〜 20 分

4．どれを選んだか、報告者がクラス全体に報告しましょう。理由も説明してください。

　報告：1〜2分

司会の表現

1) 始める

　◆ では今から、〜〜についてディスカッションを したい／行いたい と思います。

　◆ 司会の〇〇です。どうぞよろしくお願いいたします。

　◆ では、始めます。

　◆ まず、〜〜について、一人一人の考えを聞かせていただけますか。

　◆ 〇〇さん、いかがですか。ご意見よろしくお願いします。

◆ まず、○○さん、いかがですか。

◆ 次に、○○さん、いかがですか。

◆ ○○さんのご意見はいかがですか。

2) 終わる

◆ では、時間になりましたので、今日のディスカッションはこれで 終わります／終わりにしたいと思います。ありがとうございました。

ディスカッションの表現
ひょうげん

1) 意見と理由を言う
りゆう

◆ （わたしは）〜〜と思います。……からです。

◆ 〜〜んじゃないかと思います。なぜかというと……からです。

◆ 〜〜んじゃないかと思うんですが、（いかがでしょうか）。

2) 賛成する (to agree)
さんせい

◆ わたしも○○さんの意見に賛成です。
さんせい

◆ わたしも同感です。
どうかん

◆ わたしも そう／その通りだと 思います。

3) 反論する (to rebut)
はんろん

◆ そうですね。	ただ、	わたしは……と思います。
確かにそうですね。	でも、	……ということも言えるんじゃないでしょうか。
そうかもしれません。		
たし

◆ ○○さんの意見も、もっともですが、……。

◆ ○○さんは〜〜とおっしゃいましたが、わたしは……。

◆ そうですか。わたしは、そう思わないんですが、……。

◆ そうでしょうか。わたしの考えはちょっと違うんですが、……。
ちが

◆ それは違うと思うんですが。
ちが

4) 遠慮がちに (in a reserved manner) 主張する

- ◆ これは、あくまでわたしの意見ですが、

- ◆ (これは)わたしの考えなんですが、

- ◆ 間違っているかもしれませんが、

- ◆ 別の見方をすると、～～ということも言えるんじゃないでしょうか。

5) 他の人の意見に追加する (to add)

- ◆ 〇〇さんの意見に追加したいんですが、

- ◆ 一つ、追加したいんですが、

- ◆ あと、

上手に聞くための表現

1) あいづちをうつ

- ◆ ええ。　◆ はい。　◆ そうですね。

2) 確認する

◆ ～～って、	……	ということですか。
◆ （～～）というのは、		ということですね。
◆ それって、		ということでしょうか。
◆ それは、		と理解してよろしいですか。

3) まとめる

◆ まとめると、～～	ということですね。
	ということになりますか。

4) わからない言葉を聞く・詳しく聞く

◆ 「～～」って、	例えばどういうことですか。
◆ 「～～」というのは、	……(の)ことですか。
	例えば、……ですか。
	英語で……ですか。

	評価 ひょうか
1．発表で4つのポイントを説明できたか 　　はっぴょう	☆☆☆☆☆
2．ディスカッションで自分の意見を言えたか	☆☆☆☆☆
3．論理的に (logically) 意見を述べられたか 　　ろんりてき　　　　　　　　　　　　　の	☆☆☆☆☆
4．ターンをうまく取ることができたか（割り込まない、持ちすぎない） 　　　　　　　　　　　　　　　　　　　わ　こ	☆☆☆☆☆
5．わからないことを聞き返したり確認したりしたか 　　　　　　　　　　き　かえ　　　　かくにん	☆☆☆☆☆
6．ディスカッションを協力的に進められたか 　　　　　　　　　　きょうりょくてき	☆☆☆☆☆
7．自分の役割（司会・書記・報告者）を果たせたか 　　　やくわり　しかい　しょき　ほうこくしゃ　　は	☆☆☆☆☆
8．話し方（声の大きさ、速さ、発音、流暢さ (fluency)） 　　　　　　　　　　　　　　　　　りゅうちょう	☆☆☆☆☆
9．態度 (attitude)（視線 (glance)、表情 (facial expression)、ジェスチャー） 　　たいど　　　　　　　しせん　　　　　ひょうじょう	☆☆☆☆☆
総合評価 (overall) そうごうひょうか	★★★★★

コメント

新しい技術の影響
ぎじゅつ　えいきょう
Impacts of Technological Development

ていねいに読む　Intensive Reading

新しい技術が社会に与える影響
ぎじゅつ　あた　えいきょう
The effects of new technologies on society

すばやく読む　Speed Reading

歴史を変えた活版印刷
れきし　か　かっぱんいんさつ
History-changing letterpress print

聞く　Listening

1 冷蔵庫の開発
れいぞうこ　かいはつ
The invention of refrigerators

2 風が吹けば桶屋が儲かる
ふ　おけや　もう
It's an ill wind that blows nobody any good

話す活動　Speaking Activity

ディベートをする
Debate

書く活動　Writing Activity

意見文を書く
Writing Opinions

このユニットのねらい
1) 新しい技術が社会に与える影響について理解を深める。
2) 一つの物事について、ある視点から深く考察したり、客観的かつ多角的に捉えたりすることができる。
3) ディベートで、さまざまな根拠に基づき、自分の意見を論理的に主張することができる。

Aims of this unit

1) Deepen understanding of the impact of technological innovations on society.
2) Be able not only to consider matters in depth from a certain viewpoint, but also interpret objectively and from various points of view.
3) Be able to argue your position in debates logically, based on various grounds.

1. インターネットでわたしたちの生活や社会はどう変わったか考えましょう。

　1) インターネットができて、前よりできるようになったことは何ですか。

　2) インターネットができて、前よりしなくなったことは何ですか。

2. わたしたちの生活を変えた技術について考えましょう。

　1) わたしたちの生活を変えた技術には、どんなものがありますか。

　2) それはどのようにわたしたちの生活を変えましたか。

3. (　　　) に入る言葉を a. ～ l. から選んでください。必要があったら、形を変えて (to change the form) ください。

a. 与える	b. 助ける	c. 貯める	d. 広める	e. する
f. 開発する	g. 増える	h. 減る	i. 稼ぐ	j. 儲ける
k. 進歩する	l. 変化する			

　1) 夏休みの間にアルバイトをして、旅行のお金を (　　　　　　) ます。

　2) インターネットを使えば、簡単に情報を (　　　　　) ことができます。

　3) 親の考え方は、子どもにも大きな影響を (　　　　　) ます。

　4) 日本では、子どもの数が (　　　　　) てきています。

　5) 将来、人間と同じことができるロボットを (　　　　　) たいです。

　6) 技術がもっと (　　　　　　) たら、人間は月に住めるようになるでしょう。

◆1回目：辞書や単語リストを見ないで読んでください。**かかった時間** _____ 分

◆2回目：辞書や単語リストで調べた言葉を書いておいてください。

新しい技術が社会に与える影響 🎧 U5-1

　わたしたちの生活は、新しい技術のおかげで、どんどん便利になってきている。しかし、1) それはわたしたちの生活を便利にするというだけではなく、社会を変化させるという面もある。

　例えば、ジャズがはやったのは、ラジオが発明されたからだと言われている。しかし、ラジオを発明した人は、自分の作ったラジオが新しいジャンルの音楽を広めることになるとは考えていなかっただろう。また、汚れた水をきれいにする技術ができたことで、世界中にプールができ、2) その結果、水着を作る技術が発展した。しかし、技術者たちは、水をきれいにすることで健康的な生活ができるようになるとは考えていても、水着ビジネスが大きくなることまでは予想していなかっただろう。

　このように、新しい技術によって、社会は予想もしなかった影響を受け、変化することになる。だが、3) その影響はよいものばかりではない。

　例えば、エアコンができたことで、夏でも涼しく過ごせるようになったが、その一方で、エアコンは多くの熱を出したり、多くの電気を使ったりするため、エネルギー資源の問題や地球温暖化に影響を与えている。また、アルフレッド・ノーベルによって作られたダイナマイトは、工事を安全に行うため

101

のものだったが、戦争にも使われるようになった。ノーベルはダイナマイト

が戦争に使われることを予想していたが、4) それはダイナマイトのように危

険なものをお互いの国が持つことで、戦争をしなくなるというものだったと

20 言われている。だが、ノーベルの予想とは違い、実際にはダイナマイトは戦

争を激しくし、世界の歴史に大きな影響を与えることになった。

　このように、新しい技術がわたしたちの生活や社会に対していい影響だけ

でなく、悪い影響も与える例は多い。そしてそれは、誰も考えていなかった

ようなことである場合も少なくない。では、新しい技術が社会に与える影響

25 について、誰が、どこまで、何を考えなければならないのだろうか。その技

術を作る人だけではなく、それを使うわたしたちも、その技術からどのよう

な影響があるのか、それが悪い影響だった場合、自分たちに何ができるのか

を考えなければならないのではないだろうか。

理解チェック Check your understanding　🎧 U5-2

文を聞いて、本文と同じだったら○を、違っていたら×を書いてください。

1)　　　　2)　　　　3)　　　　4)　　　　5)

 内容を読み取る Reading comprehension

1. 汚れた水をきれいにする技術が社会に与えた影響について考えましょう。

　1) 技術者たちが考えていた影響はどのようなものですか。

　2) 技術者たちが考えていなかった影響はどのようなものですか。

2. エアコンが社会に与えた影響について考えましょう。

　1) いい影響はどのようなものですか。

　2) 悪い影響はどのようなものですか。

3. ダイナマイトが戦争に与えた影響について考えましょう。

　　1) ノーベルが考えていた影響はどのようなものですか。

　　2) 実際の影響はどのようなものでしたか。

4. 次の言葉がどういう意味か、具体的に (specifically) 説明してください。

　　1) それ　　　_____

　　2) その結果　_____

　　3) その影響　_____

　　4) それ　　　_____

 考えを述べる・広げる Sharing of knowledge

1. この文章を書いた人の意見について考えましょう。

　　1) 新しい技術が社会に与える影響について、考えなければならないのは誰ですか。

　　2) 新しい技術が社会に与える影響について、どこまで考えなければなりませんか。

　　3) この考え方について、あなたはどう思いますか。それはなぜですか。

　　わたしはこの人の意見に [　賛成　／　反対　です　]。

　　なぜなら、_____からです。

2. この文章に書かれていること以外に、エアコンがわたしたちの社会にどんな影響を与えたか、考えてみましょう。

すばやく読む Speed Reading

◇辞書や単語リストを見ないで読んでください。**かかった時間** ＿＿＿＿＿＿＿**分**
　　じしょ　たんご
◇読み終わったら、質問に答えてください。

 内容を読み取る Reading comprehension

1. 活版印刷ができる前と後では、聖書が読める人の数はどのくらいでしたか。
　　かっぱんいんさつ　　　　　　　　　　せいしょ　　　　　　　　　　かず

　　1) できる前　　　　　　　　　　　　2) できた後

2. 活版印刷が医学に与えた影響の流れをまとめてください。
　　かっぱんいんさつ　　　　あた　えいきょう　なが

　　活版印刷ができた
　　かっぱんいんさつ

　　→ 1) 多くの人が＿＿＿＿＿＿＿＿＿＿＿＿＿＿＿＿ようになった

　　→ 2) ＿＿＿＿＿＿＿＿＿に気づく人が増えた　→ 3) ＿＿＿＿＿＿＿が普及した
　　　　　　　　　　　　　　　　　　　ふ　　　　　　　　　　　　　　　ふきゅう

　　→ 4) ＿＿＿＿＿＿＿の開発が進んだ　→ 5) ＿＿＿＿＿＿が開発された

　　→ 6) ＿＿＿＿＿＿＿＿＿が見られるようになった　→ 医学が進歩した
　　　　　　　　　　　　　　　　　　　　　　　　　　　　　　　しんぽ

 考えを述べる・広げる Sharing of knowledge

1. 活版印刷は、他にどんな影響を社会に与えたと思いますか。
　　かっぱんいんさつ　　　　えいきょう　　　あた

2. どのような条件があれば、「新しい技術の影響が大きい」と言えると思いますか。
　　　　　　　じょうけん　　　　　　　　ぎじゅつ　えいきょう

歴史を変えた活版印刷

歴史を変えた技術の一つに「活版印刷」がある。

15世紀までの聖書は、一般の人には読めないラテン語で書かれている上に手書きだったため、一部の人しか読むことができなかった。だが、16世紀にドイツのヨハネス・グーテンベルグが、活版印刷の技術を使って印刷した聖書を出すと、多くの人が聖書を手にできるようになった。また、ルター 5 の言葉は活版印刷によって速く多くの人に伝わり、宗教改革につながった。

しかし、活版印刷が社会に与えた影響はこれだけではなかった。まず、本が安く作れるようになり、小説など聖書以外の本が出されるようになると、多くの人が本を読むようになった。すると、自分の目が悪いことに気づく人が増え、眼鏡が普及した。その結果、レンズの開発が進み、さまざまな技術 10 が進化することとなった。例えば、カメラに使われるレンズがよくなり、よりきれいな写真や映画が撮れるようになった。また、顕微鏡が開発されたとよってこれまで見られなかったものが見られるようになり、医学も進歩した。カメラも医学も、現在でも進歩し続けている。

このように、ある技術はその時代だけでなく、未来の社会にも影響を与え 15 るのだ。そう考えると、世界の歴史を振り返って、その影響の大きさがどのくらいだったかを知ることも面白いのではないだろうか。

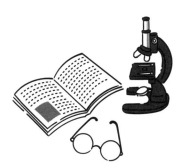

聞く Listening

1 冷蔵庫の開発
れい ぞう こ　　かい はつ

話を聞いて、次の問題に答えてください。

 内容を聞き取る Listening comprehension

冷蔵庫がわたしたちの生活や社会に与えた影響について、まとめてください。
れいぞうこ　　　　　　　　　　せいかつ　　　　あた　えいきょう

1) 食生活の変化
しょくせいかつ　へんか

　① _____でも、アイスクリームが食べられるようになった。

　② _____でも、海の魚が食べられるようになった。

2) 社会の変化
へんか

　① _____が開発された → ② _____が短くなった

　→ ③ 女性が_____

3) 悪い影響
えいきょう

　① _____になるリスクが増えた
　　　　　　　　　　　　　　　　　ふ

　② _____につながった

 考えを述べる・広げる Sharing of knowledge

1. ここで聞いたこと以外に、冷蔵庫がわたしたちの生活や社会に与えた影響にはどのよう
れいぞうこ　　　　　　　　　　せいかつ　　　　あた　えいきょう
なものがありますか。考えてみてください。

2. 冷蔵庫のように、ある技術のいい影響と悪い影響について考えましょう。
れいぞうこ　　　　　　　ぎじゅつ　　えいきょう　　　えいきょう

　1) わたしたちにいい影響と悪い影響のどちらも与えた技術は、他に何がありますか。
えいきょう　　えいきょう　　　　　あた　ぎじゅつ

2) それの ①いい影響、②悪い影響を考えましょう。

　　① いい影響

　　② 悪い影響

2 風が吹けば桶屋が儲かる　　🎧 U5-5

話を聞いて、次の問題に答えてください。

 内容を聞き取る Listening comprehension

1．「風が吹けば桶屋が儲かる」のはなぜですか。＿＿＿に言葉を入れてください。

　　風が吹く

　　→ 1) ＿＿＿＿＿＿＿＿＿＿＿が増える

　　→ 2) ＿＿＿＿＿＿＿＿＿＿＿が売れるようになる

　　→ 3) ＿＿＿＿＿＿＿＿＿が減る

　　→ 4) ＿＿＿＿＿＿＿＿＿が増える

　　→ 5) ＿＿＿＿＿＿＿＿が＿＿＿＿＿＿＿＿＿をかじる

　　→ 6) ＿＿＿＿＿＿＿＿＿を買う人が増える

　　→ 桶屋が儲かる

桶

三味線

2．「風が吹けば桶屋が儲かる」というのは、どういう意味ですか。

 考えを述べる・広げる Sharing of knowledge

「風が吹けば桶屋が儲かる」のように、インターネットについて考えてみましょう。

　　インターネットができた →

ディベートをする　Debate

「社会に一番影響を与えた技術は何か」でディベートをしましょう。

 準備　Preparation

1. 一人で考えましょう。

　　1) あなたが考える「社会に一番影響を与えた技術」は何ですか。それが社会にどのような影響を与えたかを考えましょう。

　　　　社会に一番影響を与えた技術：＿＿＿＿＿＿＿＿＿＿＿＿＿＿＿＿＿＿＿

いい影響	悪い影響

　　2) どうしてこの技術が「一番」だと思いますか。理由を考えましょう。

2. グループに分かれて、ディスカッションしましょう。

　　1)「社会に一番影響を与えた技術」が何か、それぞれの考えを話しましょう。

　　2) グループで「社会に一番影響を与えた技術」を決めましょう。

3.「社会に一番影響を与えた技術はAかBか」でディベートをします。流れを確認しましょう。

	Aグループ	Bグループ
第1ターン （各3分）	①Aが何かを述べる Aだと考える理由を述べる →	②Bが何かを述べる Bだと考える理由を述べる
相談 （5分）	相手グループの主張（assertion）を確認して、質問・反論（rebuttal）を考える	
第2ターン （各2分）	③Bグループへの質問・反論 →	④Aグループへの質問・反論
	★自分たちの意見を主張してはいけません。	
相談 （5分）	相手からの質問・反論を確認して、その答えを考える	
第3ターン （各2分）	⑥質問・反論に答える ←	⑤質問・反論に答える
	★相手からの質問・反論に答えるだけです。自分たちの意見を主張してはいけません。	
相談 （5分）	相手の答えを確認して、自分たちの最終意見（conclusive opinion）を考える	
第4ターン （各3分）	⑧Aだと考える理由を述べる ←	⑦Bだと考える理由を述べる
	★第1ターンと同じではなく、第3ターンの答えも入れて、まとめましょう。	
判定	判定表（judgement sheet）を使って、どちらの主張がよかったかを考える	

4. ディベートで使える表現（p. 50）を確認しましょう。

 **ディベート** Debate

１．下の表にメモをしながらディベートをしましょう。

〈ディベートメモ〉

	「A：＿＿＿＿＿」グループ ★相談のメモをとる	「B：＿＿＿＿＿」グループ ★聞き取ってメモする
１　最初の意見 一番だと思う理由を具体的な例を出して説明しましょう。相手の意見をよく聞きましょう。		
２　質問・反論 よくわからなかったところを相手に確認したり、根拠（evidence）を挙げて相手に反論したりしましょう。		
３　質問・反論への答え どう答えるか考えましょう。		
４　最終意見 論理的に（logically）自分たちの意見をまとめましょう。		

2. 客観的に (objectively) どちらが説得力 (persuasive ability) があったかを考えましょう。

〈ディベート判定表〉

ディベートトピック「社会に一番影響を与えた技術は何か」		判定者	
	評価の観点	A	B
1 最初の意見を述べる	主張の内容ははっきりしていたか 理由・根拠がしっかり述べられていたか	／3	／3
2 質問・反論をする	質問や反論の内容は、はっきりしていたか いい質問、反論だったか	／3	／3
3 質問・反論に答える	相手の質問や反論の内容にしっかり答えられたか 理由・根拠を挙げて答えられたか	／3	／3
4 最終意見を述べる	理由・根拠を挙げて主張できたか 相手の質問や反論がうまく生かされていたか 話し方はよかったか	／3	／3
	合計点	点	点
最終判定	[　　A　／　　B　　] のほうがより説得力があった		
最終判定の理由			
コメント			

	評価 ひょうか
1．論理的に意見を述べられたか 　　ろんりてき　　　　　の	☆☆☆☆☆
2．相手の話を理解して、適切に (appropriately) 対応 (to respond) できたか 　　あいて　　　りかい　　てきせつ　　　　　　　　たいおう	☆☆☆☆☆
3．グループで協力できたか 　　　　　きょうりょく	☆☆☆☆☆
4．ディベートに積極的に (actively) 参加できたか 　　　　　　せっきょくてき　　　　　さんか	☆☆☆☆☆
5．話し方(声の大きさ、速さ、発音、流暢さ (fluency)) 　　　　　　　　　　　　　　　りゅうちょう	☆☆☆☆☆
6．態度 (attitude)（視線 (glance)、表情 (facial expression)、ジェスチャー） 　　たいど　　　　　　しせん　　　ひょうじょう	☆☆☆☆☆
7．表現の正確さ 　　ひょうげん　せいかく	☆☆☆☆☆
8．表現の豊かさ 　　ひょうげん　ゆた	☆☆☆☆☆
総合評価 (overall) そうごうひょうか	★★★★★

コメント	

意見文を書く　Writing Opinions

あなたが考える「社会に一番影響を与えた技術」について作文を書きましょう。

> ◇文のスタイル：だ・である体
> ◇長さ：600 字程度（± 10% = 540 〜 660 字）

 書くときのポイント Key points

1. ディスカッションやディベートのメモを振り返って、作文に書く「社会に一番影響を与えた技術」を決めましょう。グループで選んだものと違ってもいいです。

2. アウトラインを書きましょう。

【はじめに】	技術について
【本文】	理由　社会に与えた影響とその大きさ 1) 2) 3)
【おわりに】	自分の意見

3. 以下の構成 (structure) を参考にして、作文を書きましょう。内容に合うタイトルをつけましょう。

作文の構成

社会に一番影響を与えた技術は＿＿＿＿＿＿＿＿＿＿だろう／だと思う。

その理由は、三つある。

まず、
一つ目（の理由）は、｜＿＿＿＿＿＿＿＿＿＿＿＿からだ／ことだ。

次に、
二つ目（の理由）は、｜＿＿＿＿＿＿＿＿＿＿＿＿からだ／ことだ。

そして、
三つ目（の理由）は、｜＿＿＿＿＿＿＿＿＿＿＿＿からだ／ことだ。

このようなことから、＿＿＿＿＿＿＿＿＿＿＿＿＿ので、

社会に一番影響を与えた技術は＿＿＿＿＿＿＿＿だと言える。

セルフチェック Check the statements

- ☐ 1. タイトルと自分の名前が書かれているか。
- ☐ 2. 【はじめに】に、「社会に一番影響を与えた技術」が何か書いてあるか。
- ☐ 3. 【本文】に、「社会に与えた影響」の理由が具体的・論理的に説明されているか。
- ☐ 4. 【おわりに】に、自分の意見が書いてあるか。
- ☐ 5. ユニットで学習した表現を使っているか。
- ☐ 6. 字や言葉の間違いがないか。
- ☐ 7. 「だ・である」体で 600 字程度になっているか。
- ☐ 8. 書式 (format) や体裁 (style) は整っているか。

「やる気」について

On "Motivation"

ていねいに読む　Intensive Reading

やる気と結果の関係は？

けっ　か　　　かんけい

The relation between motivation and results

すばやく読む　Speed Reading

やる気を持ち続けるには？

も　　つづ

How do you stay motivated?

聞く　Listening

1 やる気はあるのになぜできない？

Why do we fail at times despite being motivated?

2 わたしの「やる気」の分析

ぶん　せき

My analysis of "motivation"

話す活動　Speaking Activity

発表する

はっ ぴょう

Presentation

書く活動　Writing Activity

説明文を書く

Writing a Report

このユニットのねらい
1）過去の経験と自身の気持ちを振り返り、分析することができる。
2）自分の内面の傾向について、具体例を挙げてわかりやすく説明できる。
3）「やる気」の分析を通じて、人の心理と行動について理解を深める。

Aims of this unit
1) Be able to reflect upon and analyze your past experiences and feelings.
2) Be able to clearly explain, with specific examples, your inner tendencies.
3) Deepen understanding of human psychology and actions by analyzing "motivation."

1. あなたが日本語を勉強する時のやる気について、1）〜3）の時、あなたはどう思っていましたか。その時のやる気は何％ぐらいでしたか。

	あなたはどう思っていたか	やる気
1）日本語の勉強を始めた時		％
2）初めての日本語の試験が終わった時		％
3）＿＿＿＿＿＿＿時（自分で考えましょう）		％

2. 1）〜5）の表現によって、Bさんのやる気はどう違うと思いますか。

A：明日は試験だそうですね。いい点を取らないといけないんでしょう？

B：うん。だから、今晩、勉強（　　　）んだ。

1）させられる　　　　　　2）しなければならない

3）しようかなと思っている　　4）しようと思っている　　5）する

3. （　　　）に入る言葉を a.〜e. から選んでください。

a. 行動	b. 留学	c. 影響	d. 納得	e. 分析

1）1年間、日本に（　　　　）する予定です。

2）試験の点が悪かった原因を（　　　　）してみましょう。

3）どうしてこれが間違いなのか、（　　　　）できません。

4）何も考えないで（　　　　）すると、失敗することが多い。

5）わたしが心理学を専攻したのは、子どもの時に読んだ本が
　（　　　　）しています。

◇1回目：辞書や単語リストを見ないで読んでください。**かかった時間** ＿＿＿＿分
◇2回目：辞書や単語リストで調べた言葉を書いておいてください。

やる気と結果の関係は？　🎧 U6-1

　「LINE リサーチ」が日本全国の 15 歳～ 59 歳の男女 5,252 名を対象に、好きな家事・嫌いな家事について行った調査によると、嫌いな家事の上位に「掃除」に関するものが多く入っている。だが、好きな家事でも「掃除」に関するものが上位にある。1) このように、同じことなのに、人によって好きと嫌いが分かれるのは、「なぜ掃除をするか」という理由と関係している。　5

[男女別]
好きな家事
ランキング
TOP10

男性 (N=2626)

順位	家事	%
1	買い出しをする・買い物に行く	35.8%
2	ご飯を作る	28.1%
3	お皿洗いをする	16.6%
4	掃除機をかける	16.0%
5	片付け・整理整頓する	14.7%
6	ごみ出しをする	13.4%
7	お風呂掃除をする	12.6%
8	洗濯物を干す	12.2%
9	洗濯物をたたむ	7.0%
9	トイレ掃除をする	7.0%

女性 (N=2626)

順位	家事	%
1	買い出しをする・買い物に行く	42.5%
2	ご飯を作る	30.8%
3	洗濯物を干す	25.4%
4	掃除機をかける	14.2%
5	片付け・整理整頓する	14.0%
6	裁縫をする（ボタンの付け替え、ぬいものなど）	12.3%
7	お皿洗いをする	10.7%
8	洗濯物をたたむ	10.5%
9	トイレ掃除をする	5.2%
10	キッチンの掃除をする	4.9%

出典：LINE リサーチ

[男女別]
嫌いな家事
ランキング
TOP10

男性 (N=2626)

女性 (N=2626)

順位	男性	%	女性	%
1	トイレ掃除をする	24.6%	片付け・整理整頓する	25.7%
2	裁縫をする（ボタンの付け替え、ぬいものなど）	19.6%	トイレ掃除をする	23.7%
3	片付け・整理整頓する	15.8%	お風呂掃除をする	22.0%
4	ご飯を作る	14.8%	アイロンがけをする	21.4%
5	お皿洗いをする	14.2%	ご飯を作る	20.7%
6	アイロンがけをする	14.1%	ふき掃除をする（床・窓など）	20.2%
7	洗濯物をたたむ	13.7%	お皿洗いをする	15.6%
8	ふき掃除をする（床・窓など）	12.1%	裁縫をする（ボタンの付け替え、ぬいものなど）	15.4%
9	お風呂掃除をする	11.5%	キッチンの掃除をする	10.5%
10	洗濯物を干す	11.3%	洗濯物・衣類をしまう	10.5%

出典：LINE リサーチ「好きな家事、嫌いな家事は？」
https://research-platform.line.me/archives/36277856.html （2022/2/25）

　掃除が嫌いだという人に掃除をする理由を聞くと、「自分が掃除をすることになっているから」や「他にやる人がいないから」と思っている場合がほとんどだ。そして、「させられている」「仕方がない」というように、自分の意志に関係なく、掃除をしなければならない状況に置かれていると感じている。

10 一方、掃除が好きだという人は、「部屋がきれいになるとうれしい」と思っていたり、「とにかく掃除が好き」だったりする人が多い。つまり、自分の意志で掃除をしていると言える。このように、ある行動が好きかどうかは、その行動を自分の意志で決められるかどうかで変わってくる。そして、その度合いが大きければ大きいほど、その行動に対して「やる気」が出ると言わ

15 れている。

　では、こうしたある行動に対する「やる気」の強さとその結果はどのような関係にあるのだろうか。これは、掃除をしている時の熱心さや掃除後の部屋のきれいさを考えると、わかりやすいだろう。

　例えば、掃除をさせられていると思っている場合、熱心さは低く、部屋も

20 あまりきれいにはならないだろう。だが、「きれいになるとうれしい」「好き

だから掃除をしている」という人は、熱心に掃除をするし、部屋もとてもきれいになる。このように、やる気があればあるほど、熱心になるし、よい結果も出るのだ。ということは、その行動をするかどうかを自分で決められれば、やる気になり、よい結果が出る可能性が高くなるというわけである。

2) こう考えると、よい結果を出すのは簡単なことに思えるが、実際には自 25
分の行動を自分の意志だけで決められることはあまり多くない。「させられている」「仕方がない」などと感じていることをしなければならない場合に、どうすればやる気になってよい結果を出せるか、自分なりの方法を見つける必要があるだろう。

理解チェック Check your understanding 🎧U6-2

文を聞いて、本文と同じだったら◯を、違っていたら×を書いてください。

1)　　　　 2)　　　　 3)　　　　 4)　　　　 5)

 内容を読み取る Reading comprehension

1. ＿＿＿の言葉がどういう意味か、具体的に (specifically) 説明してください。

1) このように ＿＿＿＿＿＿＿＿＿＿＿＿＿＿＿＿＿＿＿＿ように

2) こう考えると ＿＿＿＿＿＿＿＿＿＿＿＿＿＿＿＿＿＿＿と考えると

2. 掃除が嫌いな人と掃除が好きな人の違いについて、表にまとめましょう。

	掃除が嫌いな人	掃除が好きな人
1) 行動を自分で決めたか		
2) 熱心さ		
3) 結果		

3. 各段落 (paragraph) のポイントをまとめましょう。ここでは「この」「その」などの指示詞 (demonstrative word) や、「掃除」という言葉は使わないようにしましょう。

【第1段落】

　　ある行動が 1)＿＿＿＿＿＿＿＿＿＿＿＿＿＿＿＿＿＿＿＿＿が分かれるのは、

　　その行動の 2)＿＿＿＿＿＿＿＿＿＿＿＿＿＿＿＿＿＿と関係している。

【第2段落】

　　ある行動が 1)＿＿＿＿＿＿＿＿＿＿＿＿＿＿＿＿＿は、

　　その行動を 3)＿＿＿＿＿＿＿＿＿＿＿＿＿＿ことができるかどうかで変わり、

　　その度合いが大きいほど、「やる気」が出る。

【第3・4段落】

　　行動を 3)＿＿＿＿＿＿＿＿＿＿＿＿＿＿ことができれば、やる気になるので、

　　4)＿＿＿＿＿＿＿＿＿＿結果が出る可能性が高い。

【第5段落】

　　5)＿＿＿＿＿＿＿＿＿＿＿＿＿＿＿＿＿＿場合、どうすればよいか、

　　自分の方法を見つける必要がある。

1. あなたは掃除をすることについて、どう思いますか。好きかどうか、なぜ掃除をする
（しない）のか、説明してください。

2. 掃除以外の家事について考えましょう。あなたの好きな家事、または嫌いな家事を一つ
挙げて、その家事についてのやる気の度合いと、どんな結果が出ているかについて、説
明してください。

3. 本文のタイトル「やる気と結果の関係」について考えましょう。

1) この文章によると、その答えは何ですか。

2) あなたはこの答えについてどう思いますか、それはなぜですか。

すばやく読む | Speed Reading

◇辞書や単語リストを見ないで読んでください。**かかった時間** ＿＿＿＿＿**分**
◇読み終わったら、質問に答えてください。

内容を読み取る Reading comprehension

1. やる気を持ち続けるために必要な三つのことは何だと書いてありましたか。

　1) ＿＿＿＿＿＿＿＿＿＿＿＿＿＿＿＿＿＿＿＿＿＿＿＿＿＿＿＿＿

　2) ＿＿＿＿＿＿＿＿＿＿＿＿＿＿＿＿＿＿＿＿＿＿＿＿＿＿＿＿＿

　3) ＿＿＿＿＿＿＿＿＿＿＿＿＿＿＿＿＿＿＿＿＿＿＿＿＿＿＿＿＿

2. やる気がある人に「いい点を取ったら、好きなものを買ってあげる」と言うと、言われた人のやる気はどうなりますか。それはなぜですか。

考えを述べる・広げる Sharing of knowledge

1. やる気があったのに、なくなってしまった経験がありますか。どんな経験だったか、なぜやる気がなくなったかについて説明してください。

2. やる気を持ち続けるためには、あなたはどうすればいいと思いますか。また、それはなぜですか。

やる気を持ち続けるには？

　何かを続けるときはやる気があるとよいというが、やる気を持ち続けることは簡単ではない。では、どうすればやる気を持ち続けられるのだろうか。

　まず、自分で考えて決めたことは、続けられると言われている。「自分で『やる』と決める」ということは、その目的は何か、その目的のために何をすべきかなどを考えて、自分で具体的に計画を立てるということだ。

　それから、自分のやっていることが「うまくいっている」と感じることも必要だ。テストの点が上がった、前はわからなかったことがわかるようになった、のように「うまくいった」と感じる経験ができ、目的に向かっていることが実感できると、やる気を持ち続けられると言われている。

　また、友達と一緒に勉強したり競争したりすることや、誰かにほめてもらうことなど、周りの人との関係が大切だとも言われている。目的に一緒に向かう人や目的に向かっている自分を応援してくれる人がいると、やる気が続くのだ。

　反対に、やる気がある人に「次のテストでいい点を取ったら、ほしいものを買ってあげる」というような状況を作ると、やる気がなくなってしまうという。なぜなら、自分の決めた目的とは違う目的のために頑張ることになるからである。やる気を持ち続けるには、目的をはっきりさせ、その目的に向かって進んでいくことが大切だと言えそうだ。

 聞く Listening

1 やる気はあるのになぜできない？ U6-4

会話を聞いて、次の問題に答えてください。

 内容を聞き取る Listening comprehension

1. 内容を表にまとめましょう。

1) 山下先生が話している、やる気以外に必要な三つのことは何ですか。

2) 話を聞いている人が賛成していたら〇、反対していたら×を書いてください。

やる気以外に必要なこと	〇／×
① _____こと	
② _____と思えること	
③ _____と思ってくれていること	

2. 1. の 2) で×の場合、話を聞いている人はなぜそれに反対しましたか。

 考えを述べる・広げる Sharing of knowledge

1. 山下先生が話した三つのことについて、どう思いますか。

2. 山下先生が話した三つのこと以外に、やる気を持って行動するために必要だと思うこと
はありますか。また、それはなぜですか。

② わたしの「やる気」の分析 　　　🎧 U6-5

発表を聞いて、次の問題に答えてください。

 内容を聞き取る Listening comprehension

1．次の 1）〜 4）に言葉を入れて、発表の内容をまとめてください。

　自分のやる気には 1）＿＿＿＿＿＿＿＿＿の影響が大きいと思った経験

　【幼稚園の時】

　　2）＿＿＿＿＿＿＿＿＿に「上手ね」と言ってもらいたくて頑張った。

　【小学校の時】

　　3）＿＿＿＿＿＿＿＿＿に「すごいね」と言ってもらいたくて頑張った。

　【中学校の時】

　　4）＿＿＿＿＿＿＿＿＿＿＿＿＿＿＿＿＿＿＿＿＿＿＿＿。

2．発表をした人は、これからどうしたいと考えていますか。

　今度、またピアノを始めるときは、もう少し＿＿＿＿＿＿＿＿＿＿たいと

思っている。そうすれば、もっと＿＿＿＿＿＿＿＿＿＿て、上手になれるの

ではないかと思うからだ。

 考えを述べる・広げる Sharing of knowledge

あなたも、何かをするとき、周りの人に影響を受けることがありますか。どんなとき、誰に影響を受けるか考えてみましょう。

Unit 6　「やる気」について

発表する Presentation

あなた自身の「やる気」について、経験を基に (to base on) 分析し (to analyze)、その結果を報告しましょう (to report)。

◇発表時間：3分　　質疑応答 (Q&A session) の時間：2分　　　計：5分
◇スライド：なし

 書くときのポイント Key points

1. これまでの経験から、あなたが「やる気」になるとき、ならないときの例を考えましょう。

 1) 以下の表の中で、経験があるものに〇、経験がないものに×をつけてください。

 2) 〇をつけたものについて、その経験はどのようなものだったか簡単にまとめましょう。

 3) 表にあるもの以外で、「やる気」に関係があると思うものがあったら、【その他】に書いておきましょう。

「やる気」について	経験	どのような経験か
自分の意志に関係なく、何かをしなければならない状況に置かれたので、やる気にならなかった	○	例）自分はやりたいと思わなかったが、子どもの時、ピアノを習わされた
自分の意志で決めたことなので、やる気が出た		
自分の意志によるかどうかで、結果が変わった		
「うまくいっている」と感じて、やる気が出た		
「やったらいいことがある」と思って、やる気が出た		
「このぐらいだったらできる」と思って、やる気が出た		

周りの人に「あなたならできる」と言われて、やる気になった		
周りの人との関係に、自分のやる気が影響された		
【その他】		

2. 表を見て、あなたの「やる気」にはどのような傾向 (tendency) があるか考えてみましょう。

　例）ピアノを習った経験について
　　　お母さんに「上手ね」と言われたくて頑張った。
　　　友達に「すごいね」と言ってもらいたかった。　｝周りの人の影響が大きい
　　　友達がやめて、一人ではつまらないからやめた。

3. 発表のアウトラインを考えましょう。

【はじめに】	自分の「やる気」の傾向について短く話す
【本文】	自分の経験を例として説明する 例1 （例2）
【おわりに】	自分の「やる気」の傾向をもう一度まとめる これから自分が何かするとき、大事にしたいことを話す

4. スクリプトを作りましょう。「聞く」2のスクリプトを参考にしましょう。

	評価 ひょうか
1．時間が指示 (instructions) に合っているか	☆☆☆☆☆
2．構成 (structure) が指示にあっているか	☆☆☆☆☆
3．わかりやすい例を挙げて説明できたか	☆☆☆☆☆
4．聞き手への配慮 (concern)（難しい言葉の説明など）	☆☆☆☆☆
5．話し方（声の大きさ、速さ、発音、流暢さ (fluency)）	☆☆☆☆☆
6．表現の正確さ	☆☆☆☆☆
7．表現の豊かさ	☆☆☆☆☆
8．質問にわかりやすく答えられたか	☆☆☆☆☆
9．他の人に質問できたか	☆☆☆☆☆
総合評価 (overall) そうごうひょうか	★★★★★

コメント	

説明文を書く Writing a Report

「わたしのやる気の分析」を作文にしましょう。

◇文のスタイル：だ・である体
◇長さ：600 字程度（± 10% = 540 〜 660 字）

 書くときのポイント Key points

1. 発表のアウトラインを振り返って (to reflect)、必要があれば直しましょう。質疑応答の内容を追加して (to add) もいいでしょう。

2. 発表のスクリプトを見直しましょう。指定された文のスタイルと長さに合わせて、内容を増やしたり減らしたりしましょう。

セルフチェック Check the statements

- ☐ 1. タイトルと自分の名前が書かれているか。
- ☐ 2.【はじめに】では、自分のやる気の傾向が短くまとめてあるか。
- ☐ 3.【本文】では、例を使って、分析について説明してあるか。
- ☐ 4.【おわりに】では、まとめとこれからが書いてあるか。
- ☐ 5. ユニットで学習した表現を使っているか。
- ☐ 6. 字や言葉の間違いがないか。
- ☐ 7.「だ・である」体で 600 字程度になっているか。
- ☐ 8. 書式 (format) や体裁 (style) は整っているか。

Unit 7

図書館の将来
しょうらい
The Future of Libraries

ていねいに読む　Intensive Reading
公共図書館の役割と現状
こうきょう　　　　やくわり　げんじょう
The role and reality of public libraries

すばやく読む　Speed Reading
各国の公共図書館
かっこく　こうきょう
Public libraries around the world

聞く　Listening
1 利用者インタビュー
りようしゃ
Interviewing users

2 若者の図書館利用
わかもの　　　　　　りよう
Library use by the young

話す活動　Speaking Activity
ディスカッションをする
Discussion

書く活動　Writing Activity
提案文を書く
ていあんぶん
Writing a Proposal

このユニットのねらい
1) 社会的な問題の現状について、批判的・建設的に自分の考えを述べることができる。
2) 問題解決のために、自分ならどうするか想像して、具体的なアイデアを基にした提案ができる。

Aims of this unit
1) Be able to critically and constructively express your opinions on social issues.
2) Be able to contemplate what you would do to solve an issue, and to propose such plans based on specific ideas.

１. 図書館にはよく行きますか。何をしに行きますか。

２. 市や町などの公共図書館について考えましょう。
_{こうきょう}

1) 公共図書館は必要だと思いますか。そう思う、または思わない理由は何ですか。
_{こうきょう} _{ひつよう} _{りゆう}

2) 公共図書館に問題があるとすれば、何だと思いますか。
_{こうきょう}

３. 行ってみたい図書館がありますか。そこはどんなところですか。

例）

> 金沢海みらい図書館です。2011 年に建てられ
> _{かねざわ}
> ました。BBC で「世界のスーパーライブラリー
> ベスト４」に選ばれたことがあります。デザイ
> _{えら}
> ンがとても美しいです。
> _{うつく}

４. 次の言葉と一緒に使う動詞 (verb) は、a. または b. のどちらですか。
_{ことば} _{いっしょ} _{どうし}

1) 知識を（　　　　）　　　　［　a. 減る　　　　b. 得る　］
_{ちしき}　　　　　　　　　　　　　　_へ　　　　　　_え

2) 情報を（　　　）　　　　　［　a. 増える　　　b. 集める　］
_{じょうほう}　　　　　　　　　　　　　_ふ

3) 資料を（　　　）　　　　　［　a. 保存する　　b. 生き残る　］
_{しりょう}　　　　　　　　　　　　　　_{ほぞん}　　　　_{い　のこ}

4) 名前と住所を（　　　）　　　［　a. 行う　　　　b. 登録する　］
　　　　　　　　　　　　　　　　　　_{おこな}　　　　　_{とうろく}

ていねいに読む Intensive Reading

公共図書館の役割と現状 🎧 U7-1

　公共図書館とは、県や市、町などの地方公共団体によって運営されていて、その地域に住む人たちが無料で使える図書館のことである。

　公共図書館の主な役割は、その地域に住む人々の知的活動をサポートすることにある。人は、本を通してさまざまな知的活動を行っている。仕事や学校の授業のために専門的な知識を得たり、旅行や料理など、趣味のための情報を集めたりする。あるいは、楽しみのために読むことも知的活動の一つである。小説やエッセイを読む主な目的は、この楽しみのためにあると言えるだろう。公共図書館があることで、人々は、本を通してさまざまな知的活動を無料で行うことができるのである。

　また、公共図書館には、❶そういった場所が他にない場合、古い地図、古文書など、その地域の重要な情報や資料を保存するという博物館的な役割もある。ある地域に伝わる歴史的・文化的な資料を保存していくことは、その地域の知的活動をサポートしている公共図書館にこそふさわしい。

　このように地域の人々をサポートする存在であるにも関わらず、❷公共図書館への市や町の予算は増えていない。実は、公共図書館の数は年々増えているのだが、専門の図書館員の数は年々減っている。具体的には、2020年

の専門の図書館員の数は1990年と比べて約3割減となっている。専門の図書館員が少なくなってアルバイトの人ばかりになると、本を選ぶときや施設の改善を考えるときに、積極的にアイデアを形にする人がいなくなる可能性

20 がある。また、地域文化の保存のように公共図書館であるからこそできることも、専門の人がいなくなると難しくなるだろう。

その他に、公共図書館に登録している人は多くいるが、それに比べると、図書館に来る人はそれほど増えていないというデータもある。どんな場所でもそうだが、人が実際に来なければ、その場所が存在する意味は薄くなって

25 しまう。

そこで、公共図書館は、単に本を借りたり返したりする場所というだけではなく、❸人がもっと来たくなるような魅力的な場所に変わっていくべきではないだろうか。

理解チェック Check your understanding 🎧 U7-2

文を聞いて、本文と同じだったら○を、違っていたら×を書いてください。

1)   2)   3)   4)   5)

内容を読み取る Reading comprehension

1. 公共図書館の主な役割は何ですか。

2. 本を通して行われる人々の知的活動にはどんな活動がありますか。

3．❶そういった場所 とはどんな場所ですか。

4．❷公共図書館への市や町の予算は増えていない ことで、どんなことが起こっていますか。

5．どうして公共図書館は ❸人がもっと来たくなるような魅力的な場所に変わっていくべき
なのですか。

 考えを述べる・広げる Sharing of knowledge

1．「公共図書館であるからこそできること」や「公共図書館であるからこそしなければな
らないこと」は何だと思いますか。

2．公共図書館を「人がもっと来たくなるような魅力的な場所」にするには、どうすればい
いと思いますか。

すばやく読む　Speed Reading

◇辞書や単語リストを見ないで読んでください。**かかった時間** _____ **分**
◇読み終わったら、質問に答えてください。

　内容を聞き取る　Listening comprehension

1. 本文の内容と合っているものに○、違っているものに×をつけてください。

1) (　　　　) カナダでは、公共図書館は消防署よりも大切な施設だと考えられている。

2) (　　　　) フランスでは、多くの人が公共図書館をとても大切な施設だと考えている。

3) (　　　　) 日本、韓国、中国では、ドイツ、イタリア、イギリスよりも一つ一つの公共図書館が大きい。

4) (　　　　) 移動図書館は、どの国にもある。

5) (　　　　) フランスの公共図書館には、フランス語以外の本や雑誌、新聞がある。

2. フランス、イタリア、中国、日本は、次の a. ～ d. のどのタイプですか。

> **a.** 一つ一つの公共図書館が小さくて、人口当たりの数も少ない。
> **b.** 一つ一つの公共図書館が小さいが、人口当たりの数は多い。
> **c.** 一つ一つの公共図書館は大きいが、人口当たりの数が少ない。
> **d.** 一つ一つの公共図書館が大きくて、人口当たりの数も多い。

1) フランス　　　2) イタリア　　　3) 中国　　　4) 日本

考えを述べる・広げる Sharing of knowledge

1. あなたの国の公共図書館は、p. 136 **2.** の a. 〜 d. のうち、どれに当てはまりますか。
また、それはなぜだと思いますか。

2. 公共図書館に外国語の本を置くことについて考えましょう。

1) あなたの国の公共図書館には外国語の本や雑誌、新聞が置いてありますか。

2) 置いてある場合、それは何語ですか。

3) 置いてある理由、または置いていない理由は何だと思いますか。

世界各国の公共図書館

🎧 U7-3

　公共図書館はどんな国でも身近な存在だろう。しかし、公共図書館がどれだけ重視されているかは、国によって違うようだ。例えば、カナダでは、図書館は消防署の次に重要な施設だと考えられているが、フランスでは、一部の人だけが関心を持つ施設であるという。

5　このことは、公共図書館の大きさ（1館当たりの本の数）や人口当たりの図書館の数のデータからもわかる。フランスの公共図書館は、他の国と比べると、一つ一つが小さく人口当たりの数も少ない。一方、ドイツやイタリア、イギリス、ロシアでは、同じように図書館が小さくても、人口当たりの図書館の数が多い。また、アメリカ、カナダ、日本、韓国、中国では、人口当た

10　りの数は少ないが、一つ一つの図書館が大きい。

　公共図書館は、国や地域の事情に合わせて、さまざまなサービスを行っている。近くに図書館がない場合、地域の人が図書館の本を利用できるように、本をバスなどに載せて回る移動図書館というサービスがある国もある。また、ネットワークを使って別の図書館にある本を利用できるサービスが発達して

15　いる国もある。その他に、フランス、イギリス、ドイツ、アメリカ、カナダなどのように、その地域に住む外国人のために母語で書かれた本や新聞、雑誌を公共図書館に積極的に置いている国もある。

　公共図書館と一口に言っても、国や地域によって状況が異なるのはとても興味深い。

表　各国の公共図書館の大きさと数

	人口10万人当たりの図書館の数	1館あたりの本の数
イタリア	10.5	9,493
フランス	4.8	37.684
イギリス	7	27,835
ドイツ	12.9	14,565
アメリカ	3.2	84,024
カナダ	2.9	98,046
ロシア	33.9	19,412
中国	0.2	142.792
韓国	1	67,035
日本	2.1	116,640

出典：世界の動き社『2003年版 世界の国一覧表』

聞く Listening

1 利用者インタビュー　　　　　　　　🎧 U7-4 🎧 U7-5
りようしゃ

二つのインタビューを聞いて、次の問題に答えてください。

 内容を聞き取る Listening comprehension

1. インタビューを受けた人が図書館に来た目的はそれぞれ何ですか。

　　1) 1つ目のインタビュー

　　2) 2つ目のインタビュー

2. インタビューを受けた人がそれぞれ言っていたことは何ですか。a. 〜 f. から選んでく
ださい。
　　　　　　　　　　　　　　　　　　　　　　　　　　　　　　　えら

> **a.** 子どもが遊べるスペースがほしい
> 　　　　　　あそ
> **b.** 食べ物や飲み物を売っている店がほしい
> **c.** 夜遅くまで開けてほしい
> 　　おそ
> **d.** 祝日も開けてほしい
> 　　しゅくじつ
> **e.** 他の図書館にある本をこの図書館でも借りられるようにしてほしい
> **f.** 自分のコンピューターを持ってきてもいいことにしてほしい

　　1) 1つ目のインタビュー　（　　　　　　　　）

　　2) 2つ目のインタビュー　（　　　　　　　　）

考えを述べる・広げる Sharing of knowledge

1. 人が図書館に行く理由や目的にはどんなものがあるでしょうか。その人の立場によって
どんな違いがあると思いますか。

2. どのような図書館なら、人はもっと図書館に行きたくなると思いますか。

2 若者の図書館利用

話を聞いて、次の問題に答えてください。

 内容を聞き取る Listening comprehension

1. 話の中で紹介されている調査について、次の質問に答えてください。

1) 調査の対象者は誰ですか。

2) この調査の「若者」とは誰ですか。

3) この調査の「上の世代」とは誰ですか。

2. 調査の結果わかったことは何ですか。合っているものに○、間違っているものに×をつけてください。

1) (　　　　) 若者は上の世代よりも図書館のコンピューターを使って、調べ物をしている。

2) (　　　　) 上の世代は若者よりも紙の本をよく読んでいる。

3) (　　　　) 上の世代は若者よりも、図書館員に質問をしている。

4) (　　　　) 図書館を利用する人は、若者のほうが上の世代よりも多い。

5) (　　　　) 若者も上の世代の人も、図書館がもっと気楽な場所だったらいいと言っている。

 考えを述べる・広げる Sharing of knowledge

1. 「気楽な図書館」と聞くと、どのような図書館を想像しますか。

2. あなたは地域にある公共図書館にどんなことを期待しますか。

ディスカッションをする Discussion

新しい公共図書館を作ることになったと想像して (to imagine)、どのような図書館にしたいか、グループでディスカッションしましょう。

 準備 Preparation

1. このユニットを振り返って (to reflect)、公共図書館にはどんな役割や課題があるか、確認しましょう。

2. 図書館に来る人のタイプによって、どんな公共図書館がいいか、一人で考えましょう。次のA〜Eの人たちが来るためのアイデアを出してください。Fでは、A〜E以外に来てほしい人を自分で考えてください。世界や自分の国で人気のある図書館について調べてみるのもいいでしょう。

A：小学生

B：中高生

C：大学生〜若い社会人

D：子育て世代

E：退職した人

F：＿＿＿＿＿＿＿＿＿

3. ディスカッションで使える表現 (p. 94-96) を確認しましょう。

 **ディスカッション** Discussion

1. どのような公共図書館を作るか、グループで話し合いましょう。
   ディスカッション時間：20分

   1）3～4人のグループになって、司会者 (chairperson)、書記 (minute-taker)、発表者を決めましょう。

   2）自分たちの「新しい公共図書館」のコンセプト (concept) と、特に来てほしい利用者のタイプを決めましょう。

   3）コンセプトに合う図書館にするためのアイデアを考えて、三つ書きましょう。

   4）そのアイデアの目的をまとめましょう。

   5）そのアイデアに問題点がないか考えましょう。

   図書館のコンセプト：＿＿＿＿＿＿＿＿＿＿＿＿＿＿＿＿＿＿＿＿

   コンセプトの理由：＿＿＿＿＿＿＿＿＿＿＿＿＿＿＿＿＿＿＿＿

アイデア	目的	問題点
①		
②		
③		

144

2. グループで考えた「新しい公共図書館」について、発表者がクラス全体に説明しましょう。

1) 図書館のコンセプト

2) そのコンセプトにした理由

3) 三つのアイデアとその目的・問題点

◇発表時間：3分 　 質疑応答 (Q&A session) の時間：2分 　 計：5分

自己評価 Self-evaluation

☆に色をつけましょう

	評価
1．簡潔にわかりやすく意見を言えたか	☆☆☆☆☆
2．論理的に (logically) 意見を述べられたか	☆☆☆☆☆
3．相手の話を理解して、適切に (appropriately) 対応 (to respond) できたか	☆☆☆☆☆
4．わからないことを聞き返したり確認したりしたか	☆☆☆☆☆
5．ディスカッションを進めるに値する意見を積極的に (actively) 言えたか	☆☆☆☆☆
6．ターンをうまく取ることができたか（割り込まない、持ちすぎない）	☆☆☆☆☆
7．自分の役割（司会・書記・発表者）を果たせたか	☆☆☆☆☆
8．話し方（声の大きさ、速さ、発音、流暢さ (fluency)）	☆☆☆☆☆
9．態度 (attitude)（視線 (glance)、表情 (facial expression)、ジェスチャー）	☆☆☆☆☆
総合評価 (overall)	★★★★★

コメント

提案文を書く　Writing a Proposal

あなたが考える「理想の (ideal) 図書館」について、具体的なアイデアを挙げて、作文を書きましょう。

◇文のスタイル：だ・である体
◇長さ：600字程度（± 10% = 540 〜 660 字）

 書くときのポイント Key points

1. ディスカッションと発表を振り返って、アウトラインを書きましょう。コンセプトやアイデアは、同じでも違ってもいいです。

【はじめに】	コンセプト 　全ての市民 (citizen) が参加できる図書館 コンセプトの理由 　マイノリティの人（障がい者 (people with disabilities)、外国人など）も参加
【本文】	具体的なアイデア（二つ以上） **1)** 障がいのある人のために： 　・点字 (braille) 図書を増やす 　・弱視 (weak eyesight) の人のための機械を置く　など **2)** 外国人のために： 　・人口の多い外国語（ポルトガル語とスペイン語）の新聞や雑誌、図書を増やす 　・ポルトガル語とスペイン語で絵本を読み聞かせる会を開く　など 目的 　マイノリティの人も参加できるように 問題点 　予算がかかる
【おわりに】	なぜそれが理想の図書館なのか 図書館は市民の知的サポートの場所。マイノリティに対するサービスによって、これまで参加が困難だった人も来ることができるようになるので、理想の図書館と言える。

【はじめに】	コンセプトとその理由 り ゆう
【本文】	具体的なアイデア（二つ以上） ぐ たいてき 目的 問題点
【おわりに】	なぜそれが理想の図書館なのか り そう

2．作文を書きましょう。内容に合うタイトルをつけましょう。
ないよう

セルフチェック　Check the statements

☐ 1．タイトルと自分の名前が書かれているか。

☐ 2．【はじめに】に、理想の図書館のコンセプトとその理由が書かれているか。
り そう　り ゆう

☐ 3．【本文】で、理想の図書館のアイデアがわかりやすく説明されているか。
り そう

☐ 4．【おわりに】に、なぜそれが理想の図書館なのか書かれているか。
り そう

☐ 5．ユニットで学習した表現を使っているか。
ひょうげん

☐ 6．字や言葉の間違いがないか。
こと ば　ま ちが

☐ 7．「だ・である」体で 600 字程度になっているか。
たい　てい ど

☐ 8．書式 (format) や体裁 (style) は整っているか。
しょしき　ていさい　ととの

生き物を守ろう
まも
Let's Protect the Animals

ていねいに読む　Intensive Reading
絶滅危惧種
ぜつ めつ き ぐ しゅ
Endangered species

すばやく読む　Speed Reading
生き物の保護
ほ ご
Animal protection

聞く　Listening
1 象牙の印鑑
ぞう げ いん かん
Ivory signature stamps

2 ニホンウナギを増やすには
ふ
Increasing the Japanese eel population

話す活動　Speaking Activity
発表する
はっ ぴょう
Presentation

書く活動　Writing Activity
説明文を書く
Writing a Report

このユニットのねらい
1) 国際的な問題について、関連のある情報を収集することができる。
2) 根拠を挙げて、問題の理由や原因を報告し、自分の考えを述べることができる。

Aims of this unit
1) Be able to collect information relevant to international issues.
2) Be able to report, with evidence, the cause or reason of an issue, and to express your thinking on it.

1. 「絶滅してしまった生き物」と聞いて思い浮かぶ (to come to mind) ものは何ですか。なぜ、絶滅してしまったのですか。

_____ では、_____ が
（場所）　　　　　　　　　　　　　　　　（生き物の名前）

絶滅してしまいました。

_____ は、
（生き物の名前）

_____ 。
（住んでいた場所や特徴）

絶滅の原因は _____ から
だと考えられています。

2. 「絶滅する可能性がある生き物」と聞いて思い浮かぶものは何ですか。絶滅する可能性があるのはなぜですか。

_____ では、_____ が
（場所）　　　　　　　　　　　　　　　　（生き物の名前）

絶滅する可能性があると言われています。

_____ は、
（生き物の名前）

_____ 。
（住んでいる場所や特徴）

数が少なくなった原因は _____ から
だと考えられています。

3. 一番近い意味の言葉を a. 〜 f. から選んでください。

> **a.** 絶滅する   **b.** 思い浮かべる   **c.** 禁止する
> **d.** 普及する   **e.** 保護する   **f.** 改善する

1) 生き物がいなくなること

2) 環境や生き物を守ること

3) よくすること

4) みんなに使われるようになること

4. 反対 (opposite) の言葉または意味の似ている言葉を a. 〜 f. から選んでください。

> **a.** 生き物   **b.** 危険な   **c.** 原因   **d.** 可能性   **e.** 段階   **f.** 輸出

1) 結果   ⇔   (   )

2) 輸入   ⇔   (   )

3) かもしれない   ≒   (   )

4) あぶない   ≒   (   )

5) 動物や虫など   ≒   (   )

6) ステップ   ≒   (   )

◆1回目：辞書や単語リストを見ないで読んでください。**かかった時間**＿＿＿＿＿**分**

◆2回目：辞書や単語リストで調べた言葉を書いておいてください。

絶滅危惧種
ぜつ めつ き ぐ しゅ

🎧 U8-1

「絶滅してしまった生き物」と聞けば、恐竜を思い浮かべる人が多いだろ
ぜつめつ　　　　　　　　　　　　　　　　　　きょうりゅう　おも　う
う。恐竜絶滅の原因は、隕石が地球にぶつかって太陽の光が地球に届かなく
きょうりゅうぜつめつ　げんいん　　いんせき　ち きゅう　　　　　　　　たいよう　　　　　ち きゅう　とど
なったからだと考えられている。
　　　　　　かんが

実は、生き物の絶滅は、恐竜が初めてではない。恐竜の絶滅は「第5の絶
　　　　　　　　　ぜつめつ　　きょうりゅう　はじ　　　　　　きょうりゅう　ぜつめつ　　だい　　　ぜっ
5 滅」と呼ばれている。その前に第1から第4の絶滅があり、そのどれもが、
めつ　よ　　　　　　　　　　だい　　　　だい　　ぜつめつ
気温が急に下がったり火山が噴火したりというように、自然の力が原因であ
き おん　きゅう　さ　　　　　　ふん か　　　　　　　　　　　　　しぜん　ちから　げんいん
ると言われている。
　　い

ところが、現在起こっている生き物の絶滅――第6の絶滅――の原因は、
　　　　　げんざい　お　　　　　　　　　ぜつめつ　　だい　　ぜつめつ　　げんいん
これまでと違って、自然のせいではなく人間の手によるものだと言われてい
　　　ちが　　しぜん　　　　　　　　　　　　　　　　　　　　　い
10 る。食べるためやペットにするために動物を捕まえすぎたり、生き物が住む
　　　　　　　　　　　　　　　　　　　つか
環境を壊したりする人間の行動が、第6の絶滅を引き起こしている。
かんきょう　こわ　　　　　　　　　だい　　ぜつめつ

第6の絶滅について、日本を例に挙げると、絶滅してしまった動物には、
だい　　ぜつめつ　　　　　　　　　　あ　　　　　ぜつめつ
ニホンオオカミやニホンカワウソなどがいる。ニホンオオカミは、世界で一
番小さいオオカミと言われ、本州、四国、九州の山地に住んでいた。しかし、
　　　　　　　　　　い　　　ほんしゅう　　　きゅうしゅう
15 1905年に奈良県で捕まえられたのを最後に絶滅したとされている。その絶
　　　　なら　　つか　　　　　　　　　　ぜつめつ　　　　　　　　　ぜつ
滅の主な原因は、明治時代になって、銃が普及したことと関係があると考え
めつ　おも　げんいん　　めいじ　　　　　　　じゅう　ふきゅう　　　　　　　かんけい　　　かんが

られている。また、ニホンカワウソは、昔は日本全国の川や海岸に住んでいたが、1979 年に高知県で見つかってからは、発見されていない。明治時代から、毛皮をとるためにニホンカワウソを捕りすぎたことが原因だとされている。

20

ニホンオオカミ　　　　ニホンカワウソ　　　　チョウザメ

　まだ絶滅していないが、今後、絶滅する可能性がある動物や生き物（絶滅危惧種）も多くいる。これらについて、国際自然保護連合（IUCN）のカテゴリーを使って説明しよう。IUCN は、図のように、絶滅の段階によって、「①絶滅（EX）」「②野生で絶滅（EW）」「絶滅する可能性が高い（CR/EN/VU）」「リスクが低い（LR/NT/LC）」などに生き物を分け、どんな生き物がどの地域でどのような状態にあるのかをホームページで説明している。

　日本を例に挙げると、絶滅危惧種（CR/EN/VU）は、2022 年では③24.8%となっている（図）。日本に住む全ての生き物のうち、絶滅危惧種の割合が25% もあることは、決していい状況とは言えない。現在起こっている第6の絶滅は、人の手によるものなのだから、この状況もわたしたちの手によって改善できるはずである。そのためには、私たち一人一人が、④自分に何ができるか考えて行動しなければならない。

Unit 8　生き物を守ろう

図　日本の絶滅危惧種のカテゴリー

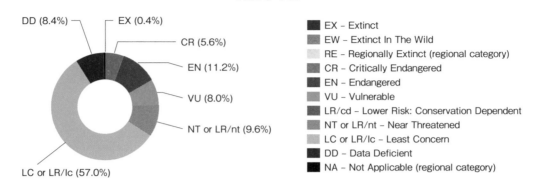

DD (8.4%) — EX (0.4%)

CR (5.6%)

EN (11.2%)

VU (8.0%)

NT or LR/nt (9.6%)

LC or LR/lc (57.0%)

■ EX – Extinct
■ EW – Extinct In The Wild
■ RE – Regionally Extinct (regional category)
■ CR – Critically Endangered
■ EN – Endangered
■ VU – Vulnerable
■ LR/cd – Lower Risk: Conservation Dependent
■ NT or LR/nt – Near Threatened
■ LC or LR/lc – Least Concern
■ DD – Data Deficient
■ NA – Not Applicable (regional category)

出典：The IUCN Red List of Threatened Species

https://www.iucnredlist.org/search/stats?query=japan&searchType=species (2022/3/1)

理解チェック Check your understanding　　🎧 U8-2

文を聞いて、本文と同じだったら○を、違っていたら×を書いてください。

1)　　　　　2)　　　　　3)　　　　　4)　　　　　5)

 内容を読み取る Reading comprehension

1. どうして恐竜は絶滅してしまったのですか。

2. 第1から第5の絶滅と、第6の絶滅の違いは何ですか。

3．ニホンオオカミとニホンカワウソの絶滅の原因は何ですか。

1）ニホンオオカミ

2）ニホンカワウソ

4．❶ 絶滅（EX）と ❷ 野生で絶滅（EW）の違いは何ですか。

5．❸ 24.8％ は、何の数字ですか。

考えを述べる・広げる Sharing of knowledge

1．❹ 自分に何ができるか考えて行動しなければならない とありますが、あなたはどんな
行動ができると思いますか。

2．動物や植物を絶滅させないために、世界ではどんなことが行われていますか。調べて報
告しましょう。

すばやく読む　Speed Reading

◇辞書や単語リストを見ないで読んでください。**かかった時間** ＿＿＿＿＿**分**
◇読み終わったら、質問に答えてください。

内容を読み取る　Reading comprehension

1. 次の段落 (paragraph) にタイトルをつけてください。

第 2 段落：＿＿＿＿＿＿＿＿＿＿＿＿＿＿＿＿＿＿＿＿＿＿＿＿＿＿

第 3 段落：＿＿＿＿＿＿＿＿＿＿＿＿＿＿＿＿＿＿＿＿＿＿＿＿＿＿

第 4 段落：＿＿＿＿＿＿＿＿＿＿＿＿＿＿＿＿＿＿＿＿＿＿＿＿＿＿

2. 本文の内容と合っているものに○、違っているものに×をつけてください。

1)（　　　　）アマゾンの自然を守ることは、アマゾンに住んでいる生き物を保護
することになる。

2)（　　　　）「ホットスポットの保護」とは、絶滅する可能性が高い生き物が住ん
でいるエリアの自然を守るという方法である。

3)（　　　　）現代の動物園は、人が動物を見て楽しむためだけにある。

4)（　　　　）ワシントン条約は、アマゾンの生き物を保護するためのものである。

5)（　　　　）絶滅危惧種を守るためには、絶滅危惧種がいる地域に住んでいる人
が一番、その保護のために努力しなければならない。

考えを述べる・広げる　Sharing of knowledge

1. あなたの知っている動物園は生き物の保護のためにどんなことをしていますか。

2. ホットスポットの保護について例を挙げて説明してください。

生き物の保護

　絶滅危惧種を守るために、世界中でいろいろな取り組みが行われている。ここでは、そのいくつかを紹介したい。

　まず、生き物が住んでいる地域の自然を守るという取り組みがある。例えば、アマゾンの自然を守ることは、アマゾンに住んでいる生き物全体を保護することにつながる。これと似ているが、絶滅危惧種が特に多く住んでいるエリアを選んで、集中的にその場所の自然を守るということも行われている。これは、「ホットスポットの保護」と呼ばれる取り組みである。

　動物園も、生き物の保護を行っている。動物園は、人が動物を見て楽しむ施設というだけでなく、絶滅危惧種を保護し、その数を増やすための研究を行ったり、掲示板などを使って生き物の保護に関するいろいろな知識を広めたりしている。

　その他には、世界の国々が協力して国際的な条約を作ることで生き物を守るという取り組みもある。例えば、1975年に作られたワシントン条約は、絶滅危惧種を輸入したり輸出したりすることを禁止する国際的な条約である。

　このように、絶滅危惧種を守るための取り組みには、いろいろな人がいろいろな方法で関わっている。生き物の保護は、一つの国や地域だけで行えるものではなく、世界中の人々が協力しなければできないことなのである。

聞く Listening

1 象牙の印鑑
ぞう げ　いん かん

話を聞いて、次の問題に答えてください。

 内容を聞き取る Listening comprehension

1．話の内容と合っているものに○、違っているものに×をつけてください。
　　ない よう　　　　　　　　　　　　　　　　　　　ちが

　　1)（　　　　）アイボリーの印鑑を持っていると、お金持ちになれると言われている。
　　　　　　　　　　　　　いんかん

　　2)（　　　　）象牙は、ワシントン条約で輸出・輸入が禁止されている。
　　　　　　　　　ぞう げ　　　　　　　 じょうやく　 ゆ しゅつ　 ゆ にゅう　 きん し

　　3)（　　　　）アフリカには、象牙のために、殺されてしまうゾウがいる。
　　　　　　　　　　　　　　　　ぞう げ　　　　　　 ころ

　　4)（　　　　）名古屋市の 35 歳の男性は、印鑑を作るために象牙を日本に持ち込んだ。
　　　　　　　　　な ご や　　　さい　　　　　　　 いんかん　　　　　 ぞう げ　　　　　　 も　こ

　　5)（　　　　）世界で、中国が一番大きい象牙のマーケットである。
　　　　　　　　　　　　　　　　　　　　 ぞう げ

2．話をしている人は、象牙についてどんな意見を持っていますか。
　　　　　　　　　　　ぞう げ

 考えを述べる・広げる Sharing of knowledge

1．象牙について、あなたの意見を教えてください。
　　ぞう げ

2．ワシントン条約について調べてください。その上で、ワシントン条約の問題点があれば
　　　　　　　 じょうやく　　　　　 しら　　　　　　　　　　　　　　　　　 じょうやく
　　挙げてください。
　　あ

スライドを見ながら発表を聞いて、次の問題に答えてください。

1

2

©ffish.asia
https://ffish.asia/?page=file&pid=68237

3

https://www.iucnredlist.org/species/166184/1117791

4 【参考文献】

今泉忠明（2017）『みんなが知りたい！日本の「絶滅危惧」動物がわかる本』メイツ出版
ナショナルジオグラフィック（2014）「ずっとウナギを食べるには」https://natgeo.nikkeibp.co.jp/nng/article/20140821/412153/（最終アクセス　2022年3月1日）
The IUCN Red List of Threatened Species https://www.redlist.org/（最終アクセス 2022年3月1日）

 内容を聞き取る Listening comprehension

1．発表の内容をまとめてください。

1) 住む場所と特徴	体の長さは＿＿＿＿＿＿＿＿＿＿＿＿＿＿＿
	卵を産む場所は＿＿＿＿＿＿＿＿＿＿＿＿
	大きくなるのに＿＿＿＿＿＿＿＿＿＿かかる
2) 数の変化	稚魚は、＿＿＿＿＿＿＿＿＿＿＿＿＿＿へ減った
3) 数が減った原因	＿＿＿＿＿＿＿＿＿＿＿＿ために捕りすぎたから
4) 現状	ニホンウナギを育てることは難しい
	ニホンウナギを＿＿＿＿＿＿＿＿＿技術はない

２．ニホンウナギの数を増やすためにしていることは、いくつありますか。また、それはど
んなことですか。

３．話をしている人が、ニホンウナギの数を増やすためにしようと思っていることは何ですか。

 考えを述べる・広げる Sharing of knowledge

１．あなたにとって身近な絶滅危惧種は何ですか。

２．１．で挙げた絶滅危惧種を、絶滅の危機から救うために、実際にどんなことが行われて
いますか。あなたは、その中で何が一番有効だと思いますか。

発表する Presentation

自分が住んでいる地域の、または自分が興味のある絶滅危惧種について調べて、発表しましょう。

◇発表時間：5分　　質疑応答 (Q&A session) の時間：3分　　計：8分
◇スライド：5枚程度（出典 (source) を必ず入れてください）

準備 Preparation

1. どの動物について発表するか決めましょう。以下のウェブサイトを参考にして、「絶滅する可能性が高い動物（CR/EN/VU)」を一つ選んでください。

「IUCN レッドリスト」　https://www.iucnredlist.org/

（国際自然保護連合：International Union for Conservation of Nature）

2. 次のことを調べましょう。出典も記録しましょう。

1) 動物の名前	
2) 危険度のカテゴリー	
3) 住んでいる場所 　特徴	
4) 数の変化	＿＿＿＿＿年ごろ　　＿＿＿＿匹・頭 ＿＿＿＿＿年現在　　＿＿＿＿匹・頭
5) 絶滅の可能性の原因	例）食べすぎ、とりすぎ、密輸、密猟、住む場所がなくなった
6) 行われている対策 　　（measures）	
出典	

３．発表のアウトラインを考えましょう。

【はじめに】 どんな動物か	選んだ理由、危険度のカテゴリー、住んでいる場所、特徴など
【本文】 状況の変化 原因 対策	状況の変化──数の変化・住んでいる場所の変化など
	原因──状況の変化との関係など
	対策──絶滅しないように、国や地域がしていること
【おわりに】 まとめ	自分が何をするべきか

４．スクリプトを作りましょう。「聞く」２のスクリプトを参考にしましょう。

	評価 ひょうか
1．時間・スライドが指示 (instructions) に合っているか しじ	☆☆☆☆☆
2．構成 (structure) が指示に合っているか こうせい　　　　　　しじ	☆☆☆☆☆
3．論理的に (logically) 発表を組み立てられたか ろんりてき　　　　　はっぴょう　く　た	☆☆☆☆☆
4．正確で適切な (appropriate) データを基にした (based on) か せいかく　てきせつ　　　　　　　　　　もと	☆☆☆☆☆
5．聞き手への配慮 (concern)（難しい言葉の説明など） き　て　　　はいりょ　　　　むずか　ことば	☆☆☆☆☆
6．話し方（声の大きさ、速さ、発音、流暢さ (fluency)） りゅうちょう	☆☆☆☆☆
7．態度 (attitude)（視線 (glance)、表情 (facial expression)、ジェスチャー） たいど　　　　　　しせん　　　　　ひょうじょう	☆☆☆☆☆
8．表現の正確さ ひょうげん　せいかく	☆☆☆☆☆
9．表現の豊かさ ひょうげん　ゆた	☆☆☆☆☆
10．質問にわかりやすく答えられたか	☆☆☆☆☆
11．他の発表に対して質問できたか はっぴょう　たい	☆☆☆☆☆
総合評価 (overall) そうごうひょうか	★★★★★
コメント	

説明文を書く Writing a Report

自分が住んでいる地域の、または自分が興味のある絶滅危惧種について調べて、作文にしましょう。発表とは違う動物でもいいです。

◇ 文のスタイル：だ・である体
◇ 長さ：600字程度（± 10% = 540 ～ 660字 図や表は含みません）

 書くときのポイント Key points

1. 発表のアウトラインを振り返って (to reflect)、必要があれば直しましょう。質疑応答の内容を追加して (to add) もいいでしょう。
2. 指定された文のスタイルと長さに合わせて、内容を増やしたり減らしたりしましょう。
3. 内容に合うタイトルをつけましょう。

セルフチェック Check the statements

☐ 1. タイトルと自分の名前が書かれているか。

☐ 2.【はじめに】に、その動物についての説明が書かれているか。

☐ 3.【本文】で、その動物の状況と絶滅の可能性の原因、対策がわかりやすく説明されているか。

☐ 4.【おわりに】に、自分の意見が書かれているか。

☐ 5. 根拠 (evidence) となるデータがあるか。

☐ 6. データの出典が書かれているか。

☐ 7. ユニットで学習した表現を使っているか。

☐ 8. 字や言葉の間違いがないか。

☐ 9.「だ・である」体で、600字程度になっているか。

☐ 10. 書式 (format) や体裁 (style) は整っているか。

文型表現さくいん

単語さくいん

おおて　大手　well-known; major		U4-IR
おきなわ　沖縄		
Okinawa　*Name of a prefecture		U8-L2
おけ　桶　tub; bucket; pail		U5-L2
おけや　桶屋　tub shop; bucket shop		U5-L2
おこる　起こる　to occur		U8-IR
おしゃべり　chatting; talking; to chat/talk		U3-IR
おすすめ　recommendation		U4-SR
おそい　遅い　late		U7-L1
おぞんそう　オゾン層　ozone layer		U5-L1
おたがい　お互い　both; mutual; either	U2-L2	U5-IR
おちゃや　お茶屋　tea company		U1-IR
おねがい　お願い　request; to request/ask for		U4-L2
おも（な）　主（な）　main	U4-IR	U8-IR
おもいうかべる　思い浮かべる		
to come to mind		U8-IR
おもいで　思い出　memory		U4-L1
おも（な）　主（な）　main		U7-IR
おんせん　温泉　hot spring		U4-L1
オンライン　online		U2-IR

かいがい　海外　abroad; overseas	U1-IR	U4-SR
かいかく　改革　reformation; to reform		U5-SR
かいぜん　改善		
improvement; to improve	U7-IR	U8-IR
ガイドブック　guidebook		U4-SR
かいらくえん　偕楽園		
Kairakuen　*Proper noun		U4-IR
かえる　to hatch		U8-L2
かがく　化学　chemistry		U4-IR
かかす　欠かす		
to lack; to be forgotten; to be missed		U4-SR
かかわる　関わる　to be involved		U8-SR
がくしゅう　学習　study; learning; to study/learn		U3-IR
かくす　隠す　to hide		U8-L1
かくれる　隠れる　to hide		U8-L2
かこ　過去　past		U7-L2
カゴ　basket		U8-L2
かごしま　鹿児島		
Kagoshima　*Name of a prefecture		U8-L2
かざん　火山　volcano		U8-IR
かじ　家事　household chores		U6-IR
かじる　to bite; to chew; to gnaw		U5-L2
かず　数　number	U4-L1　U7-IR	U8-SR
かすみがうら　霞ヶ浦　Lake Kasumigaura		U4-IR
かせぐ　稼ぐ　to earn (money)		U5-L2
かだい　課題　assignment		U3-IR
がっき　楽器　instrument		U5-L2
かっこく　各国　each country		U7-SR
かつどう　活動　activity; to do activities	U3-IR	U4-SR

かっぱん　活版　letterpress		U5-SR
カテゴリー　category		U8-IR
かなり　quite; very		U3-IR
カニカマ　crab sticks		U1-L2
かのうせい　可能性　possibility	U6-IR　U7-IR	U8-IR
かばやき　蒲焼　*kabayaki* (a fish dish, especially eel,		
grilled in a sweet soy sauce)		U8-L2
がまん　self-restraint; to hold back		U8-L2
～から…にかけて　from ~ into/through …		U3-SR
カリフォルニア　California		U1-L2
カリフォルニアロール　California roll		U1-L2
かれーこ　カレー粉　curry powder		U1-L1
～かん　～館　large building　*Counter word		U7-SR
かんきょう　環境　environment		U8-IR
かんこう　観光		
sightseeing; tourism; to go sightseeing		U4-SR
かんこうきゃく　観光客　tourist		U4-SR
かんこうち　観光地		
sightseeing destination; tourist spot		U4-SR
かんこく　韓国　South Korea		U7-SR
かんじ　感じ　feeling		U4-L1
かんじる　感じる　to feel	U3-L1	U6-IR
かんしん　関心　interest		U7-SR
～にかんする　～に関する　related to; on		U3-IR
かんせつてき（な）　間接的（な）　indirect		U5-L1
かんそう　乾燥　drying; to dry		U4-IR
かんとう　関東　Kanto　*Name of a region		U4-IR

きおん　気温　temperature		U8-IR
きかん　期間　period		U8-L2
きじ　記事　article; text		U4-IR
ぎじゅつ　技術　technology		U5-IR
ぎじゅつしゃ　技術者　engineer		U5-IR
きたい　期待		
hope; expectations; to hope for/expect		U7-L1
きちょう（な）　貴重（な）　valuable		
	U3-IR　U4-L2	U7-L1
きづく　気づく　to realize		U5-SR
きぼう　希望　desire; hope; to desire/hope		U2-IR
ぎゃくたい　虐待　abuse; to abuse		U8-L1
きゅうしゅう　九州		
Kyushu　*Name of a region	U4-L1	U8-IR
きょうかい　協会　association (Association)		U1-SR
きょうそう　競争　competition; to compete		U6-SR
きょうみぶかい　興味深い　very interesting		U7-SR
きょうりゅう　恐竜　dinosaur		U8-IR
きょうりょく　協力　cooperation; to cooperate		
	U4-L2	U8-SR
きょか　許可		
permission, approval; to permit/approve		U8-L1

しせつ　施設　facility　　　　　　　　　U7-IR　U8-SR
しぜん　自然　nature　　　　　U2-IR　U4-IR　U8-IR
しぜんに　自然に　automatically; naturally　　U4-SR
じたくがいせい　自宅外生
　　student living away from family　　　　　U3-IR
じたくせい　自宅生　student living with family　U3-IR
じっか　実家　(parents') home　　　　　　　U2-L1
じっかん　実感　actual feeling; to actually feel　U6-SR
じっけん　実験
　　experiment; lab; to do an experiment　　　U3-IR
じっさい　実際　actuality; actually　　U5-IR　U6-IR
じっさいに　実際に　actually　　　　U3-IR　U7-IR
じつは　実は　actually; in fact
　　　　　　　U4-L1　U6-L1　U7-IR　U8-IR
じどうしゃ　自動車　automobile; car　　　　U4-SR
じどうはんばいき　自動販売機　vending machine　U7-L1
しめす　示す　to show; to demonstrate　　　U3-IR
～じゃく　～弱　a little less than ～　　　　U3-IR
ジャズ　jazz　　　　　　　　　　　　　　U5-IR
しゃみせん　三味線　shamisen (traditional Japanese
　　stringed instrument)　　　　　　　　　U5-L2
ジャンル　genre　　　　　　　　　　　　　U5-IR
じゅう　銃　gun　　　　　　　　　　　　　U8-IR
しゅうきょう　宗教　religion　　　　　　　　U5-SR
じゅうし　重視　focus; to focus on　　　　　U7-SR
しゅうちゅうてき（な）　集中的（な）
　　intensive; focused　　　　　　　　　　U8-SR
じゅうよう（な）　重要（な）
　　important; significant　　　　　U4-IR　U7-IR
じゅく　塾　cram school; tutoring school　　U2-L2
しゅだん　手段　method　　　　　　　　　　U2-IR
しゅっしん　出身　person's origin (town, country, etc.)
　　　　　　　　　　　　　　　　U2-L2　U4-L2
じゅんい　順位　rank　　　　　　　　　　　U2-IR
じょうい　上位　top, higher ranks　　　　　U6-IR
しょうがくきん　奨学金
　　scholarship; student loan　　　　　　　U3-SR
じょうきょう　状況　circumstance; situation
　　　　　　　　　U2-IR　U6-IR　U7-SR　U8-IR
じょうたい　状態　condition　　　　　　　　U8-IR
じょうほう　情報　information　U2-SR　U4-SR　U7-IR
しょうぼうしょ　消防署　fire department　　　U7-SR
じょうやく　条約　treaty　　　　　　　　　U8-SR
ジョギング　jogging　　　　　　　　　　　U6-L1
しょくせいかつ　食生活　eating habits　　　U5-L1
しょくひん　食品　food product　　　　　　U4-IR
しょざいち　所在地　location　　　　　　　U4-IR
じょし　女子　female; woman　　　　　　　U3-IR
しょとう　諸島　islands　　　　　　　　　　U8-L2
しらべもの　調べ物
　　matter for inquiry; research　　　　　　U7-L1
しりょう　資料　document; data　　　　　　U7-IR

シロップ　syrup; liquid sweetener　　　　　U1-SR
しんか　進化　evolution; to evolve　　　　　U5-SR
しんけん（な）　真剣（な）　serious　　　　　U3-IR
しんしゅつ　進出　advancement; to advance　　U5-L1
じんせい　人生　life　　　　　　　　　　　U3-IR
じんたい　人体　human body　　　　　　　　U5-L1
しんにゅうせい　新入生　new student　　　　U3-IR
しんぽ　進歩　advancement; development; to advance;
　　to develop　　　　　　　　　　　　　U2-IR
しんりがく　心理学　psychology　　　　　　U6-L1

す

ず　図　diagram; figure　　　　　　U3-IR　U8-IR
すうじ　数字　number; figure　　　U4-SR　U7-L2
すきーじょう　スキー場　ski resort　　　　　U4-L2
すごす　過ごす
　　to spend (time)　　U3-IR　U4-IR　U5-IR　U7-L1
すし　寿司　sushi　　　　　　　　　　　　U1-L2
すでに　already　　　　　　　　　　　　　U8-L1
スパイス　spice　　　　　　　　　　　　　U1-SR
スペース　space; area　　　　　　　　　　U7-L1
すべて　全て　all; every　　　　　　U4-SR　U8-IR

せ

せいかい　正解　correct answer; to answer　　U4-L1
せいかく（な）　正確（な）　accurate　　　　U4-SR
せいかつひ　生活費　living expense　　　　　U3-SR
～せいき　～世紀　~th century　　　U1-SR　U5-SR
ぜいきん　税金　tax　　　　　　　　　　　U2-IR
せいさんりょう　生産量　production volume　　U4-IR
せいしょ　聖書　Bible　　　　　　　　　　U5-SR
せいぞうぎょう　製造業
　　manufacturing industry　　　　　　　　U4-IR
せだい　世代　generation　　　　　　　　　U7-L2
せっかく　long-awaited; precious　　　　　U7-L1
せっきょくてき（な）　積極的（な）
　　active; aggressive　　　　　　　　　　U7-IR
ぜったい　絶対　definitely　　　　　　　　U2-L2
ぜつめつ　絶滅　extinction; to go extinct　　U8-IR
ぜつめつきぐしゅ　絶滅危惧種
　　endangered species　　　　　　　　　　U8-IR
せつやく　節約　saving (money); cutting down
　　(expenses); to save/cut down　　　　　U3-SR
ぜん～　全～　all ～　　　　　　　　　　U1-SR
ぜんこく　全国　whole country; nationwide
　　　　　　　U3-SR　U4-IR　U6-IR　U8-IR
ぜんこくだいがくせいかつきょうどうくみあいれんごうかい
　　全国大学生活協同組合連合会
　　National Federation of University Co-operative
　　Associations　　　　　　　　　　　　U3-SR

ぜんたい　全体　entirety; entire　　　U4-IR　U8-SR
ぜんたいてき（な）　全体的（な）　overall　　U3-SR

ゾウ　elephant　　　U8-L1
ぞうげ　象牙　ivory　　　U8-L1
そのほか　その他　other; other than that
　　　　　　　U4-IR　U7-IR　U8-SR
そもそも　first of all; to begin with　　U3-L1
それぞれ　each; respectively　　U3-IR
そんざい　存在　existence; to exist　　U7-IR

ターゲット　target (reader)　　U4-SR
だい〜　第〜　〜th; No. 〜 (1, 2, 3, etc.)　U8-IR
だいがくいんせい　大学院生　graduate student　U3-IR
たいけん　体験　experience; to experience
　　　　　　　U2-SR　U4-L1
たいしょう　対象　subject; target　U3-IR　U6-IR　U7-L2
たいしょうじだい　大正時代　Taisho period　U1-L1
だいとうりょう　大統領　president　　U1-IR
ダイナマイト　dynamite　　U5-IR
たいへいよう　太平洋　Pacific Ocean　　U8-L2
たいほ　逮捕　arrest; to arrest　　U8-L1
たいよう　太陽　the Sun　　U8-IR
たいわん　台湾　Taiwan　　U8-L2
たき　滝　waterfall　　U4-IR
たすける　助ける　to help　　U5-L1
ただ　however　　U2-L1　U4-SR　U6-L1
たび　旅　trip; travel　　U4-L1
たまる　貯まる　to accumulate; to build up (wealth, savings, etc.)　　U8-L1
ためる　to accumulate　　U5-L1
だれだれ　誰々　so-and-so　　U6-L2
だんかい　段階　stage　　U8-IR
だんし　男子　male; man　　U3-IR
だんじょ　男女　men and women; male and female; both sexes　　U3-IR　U6-IR
たんに　単に　simply　　U7-IR

ちいき　地域　region; area
　　　　　　　U4-SR　U5-L1　U7-IR　U8-IR
ちがい　違い　difference　　U7-L2
ちきゅう　地球　the Earth　　U8-IR
ちきゅうおんだんか　地球温暖化
　global warming　　U5-IR
ちぎょ　稚魚　juvenile fish　　U8-L2
ちしき　知識　knowledge　　U7-IR　U8-SR

ちてきかつどう　知的活動　intellectual activity　U7-IR
ちなみに　by the way　　U4-IR
ちほう　地方　region　　U4-IR
ちほうこうきょうだんたい　地方公共団体
　local public body　　U7-IR
ちゅうしゃじょう　駐車場　parking lot　　U2-IR
ちゅうとう　中東　the Middle East　　U1-SR
ちょう　超　very; extremely　　U4-L1
ちょうさ　調査　survey; to investigate/survey
　　　　　　　U3-IR　U6-IR　U7-L2
ちょうし　調子　feeling; condition　　U2-L1
ちょうせんはんとう　朝鮮半島
　Korean Peninsula　　U8-L2
ちょくせつ　直接　directly　　U2-IR
ちょくせつてき（な）　直接的（な）　direct　U5-L1

つうがく　通学　school commute; to commute to school
　　　　　　　U3-IR　U4-IR
つうきん　通勤
　work commute; to commute to work　U4-IR
つくばさん　筑波山　Mount Tsukuba　　U4-IR
つけもの　漬物　pickles　　U5-L1
つたえる　伝える　to introduce; to bring to　U1-SR
つたわる　伝わる
　to be introduced; to be brought in; to spread;
　to come down (generations); to be told down
　　　　　　　U1-SR　U5-SR　U7-IR
（へり）つづける　（減り）続ける
　to continue (to decrease)　　U8-L2
つながる　to be connected　U5-SR　U7-L1　U8-SR
つまり　in other words; this means
　　　　　　　U1-L1　U3-IR　U4-SR　U5-L1　U6-L2

であい　出会い　encounter　　U1-IR
データ　data　　　U3-L1　U4-L1　U7-IR
データベース　database　　U7-L2
てがき　手書き　handwriting　　U5-SR
てにする　手にする　to get; to obtain　　U5-SR
てんのう　天皇　Emperor　　U1-IR

どあい　度合い　degree; extent　　U6-IR
とうこう　投稿　post (used for online media); to post
　　　　　　　U3-L1
とうじ　当時　at that time; at the time　　U1-IR
どうぶつえん　動物園　zoo　　U8-SR
とうろく　登録　registration; to register　　U7-IR

（よそう）どおり　（予想）通り　as (predicted)　　　U7-L2
とかい　都会　city; urban place　　　U2-IR
とくがわ　徳川　Tokugawa *Proper noun　　　U4-IR
どくしゃ　読者　reader　　　U4-SR
どくしょ　読書　reading; to read　　　U3-IR
としょかんいん　図書館員　librarian　　　U7-IR
トップ　top; number one　　　U4-IR
とどうふけん　都道府県　prefecture　　　U4-IR
とどく　届く　to reach　　　U8-IR
とにかく　anyhow; anyway; in any case; just
　　　U4-L1　U6-IR　U7-L2
とねがわ　利根川　Tone River　　　U4-IR
トピック　topic　　　U7-L2
～とも　both ~　　　U1-L1
とりあげる　取り上げる
　to bring up; to pick up; to introduce　　　U4-SR
とりくみ　取り組み　effort; program　　　U2-SR　U8-SR
とりよせる　取り寄せる
　to order in; to send for　　　U7-L1
とる　to catch　　　U4-IR
とる　捕る　to hunt　　　U8-IR

な

ながめる　眺める　to gaze; to view; to look　　　U4-L1
なごや　名古屋　Nagoya *Name of a city　　　U8-L1
なま　生　raw　　　U1-L2　U5-L1
なやむ　悩む　to worry; to be concerned　　　U3-IR
なら　奈良　Nara *Name of a prefecture　　　U8-IR
ならいごと　習い事　extracurricular lessons　　　U2-L2
（じぶん）なり　（自分）なり
　(you)-like; your own　　　U6-IR
なんか　times like; something like (dismissive)　　　U2-L1
なんて　*Places emphasis on the previous word
　　　U4-L2　U6-L1

に

にがて（な）　苦手（な）　disliked　　　U1-L2
～にかんする　～に関する　regarding ~; related to ~
　　　U6-IR　U8-SR
～にたいし　～に対し　as opposed to ~; in contrast to ~
　　　U3-L1
～にたいして　～に対して　on ~; against ~; towards ~
　　　U5-IR　U6-IR
～にたいする　～に対する　against ~; regarding ~
　　　U7-L2　U8-L1
～について　regarding ~; about ~
　　　U1-L1　U2-IR　U3-L1　U4-IR　U6-IR　U7-L2　U8-IR
ニホンウナギ　Japanese eel *Name of an animal　　　U8-L2
ニホンオオカミ
　Japanese wolf *Name of an animal　　　U8-IR

ニホンカワウソ
　Japanese river otter *Name of an animal　　　U8-IR
～によって　by ~; through ~　　　U1-SR
～によって　depending on ~
　　　U2-IR　U6-IR　U7-SR　U8-IR
～によって　due to ~; because of ~　　　U5-IR
～による　by ~　　　U4-L1　U8-IR
～による　depending on ~　　　U7-L2
～によると　according to ~　　　U3-L2　U6-IR
にる　煮る　to simmer; to boil　　　U1-L1
にんげん　人間　human　　　U8-IR

ね

ねずみ　mouse; rat　　　U5-L2
ねっしん（な）　熱心（な）　enthusiastic; willing　　　U6-IR
ネット　the internet; the web　　　U2-IR
ネットワーク　network　　　U7-SR
～ねんかん　～年間　for ~ years　　　U7-L2
ねんねん　年々　yearly; year after year　　　U7-IR
ねんまつ　年末　end of the year; year-end　　　U4-L1
ねんまつねんし　年末年始
　year-end and new year season　　　U4-L1

の

のうぎょう　農業　agriculture; farming　　　U2-SR　U4-IR
～のせい　due to ~　　　U8-IR
のせる　載せる　to carry; to load　　　U7-SR
（でんしゃに）のりおくれる　（電車に）乗り遅れる
　to miss (a train)　　　U2-IR
のる　載る
　to be in (something); to be published　　　U4-SR
のんびり　leisurely; calmly; relaxed　　　U2-SR

は

はいきんぐ　ハイキング　hiking　　　U4-IR
はいけい　背景　(personal) background　　　U2-IR　U3-IR
パウダースノー　powder snow　　　U4-L2
はくぶつかん　博物館　museum　　　U7-IR
はげしい　激しい　violent; intense　　　U5-IR
はっけん　発見　discovery; to discover　　　U8-IR
はったつ　発達　development; to develop　　　U7-SR
はってん　発展　development; to develop　　　U5-IR
はっぴょう　発表　presentation;
　to give a presentation; to present　　　U3-L1　U8-L2
はつめい　発明　invention; to invent　　　U5-IR
はなれる　離れる　to be away (from)　　　U4-IR
はやる　to become popular　　　U5-IR
はん　藩　domain　　　U4-IR

ひ

ひかく　比較　comparison; to compare　　　U3-IR　U7-L2
ひきおこす　引き起こす　to cause　　　U8-IR
ひこうき　飛行機　airplane　　　U4-SR
ひっこし　引っ越し
　moving; to move (home, office, etc.)　　　U2-SR
ひとくちに　一口に　in a word　　　U7-SR
ひとびと　人々　people　　　U4-IR　U7-IR　U8-SR
ひとりぐらし　一人暮らし　living alone　　　U3-IR
ひとりひとり　一人一人　each individual　　　U8-IR
ひふがん　皮膚ガン　skin cancer　　　U5-L1
ひもの　干物　dried fish　　　U5-L1
ひろまる　広まる　to spread　　　U1-SR
ひろめる　広める
　to spread; to popularize　　　U5-IR　U8-SR

ふ

ふうん　hmm; I see　　　U1-L2
ぶかつ　部活
　after school activities (school) club activity　　　U6-L2
ぶかつどう　部活動　club/team activities　　　U3-L2
ふきゅう　普及　spread; popularization;
　to spread/grow popular　　　U5-SR　U8-IR
ふさわしい　fitting; appropriate　　　U7-IR
ふじさん　富士山　Mount Fuji　　　U4-IR
ぶつかる　to crash into; bump into　　　U8-IR
ぶぶん　部分　section　　　U8-L2
ふやす　増やす　to increase　　　U3-SR　U8-SR
ぶらぶらする　to wander; to stroll　　　U7-L2
ふりかえる　振り返る　to reflect upon　　　U5-SR
フロン　CFCs　　　U5-L1
ふわふわ　fluffy　　　U4-L2
ふんか　噴火　eruption; to erupt　　　U8-IR
ぶんけい　文系　social science major　　　U3-IR
ぶんせき　分析　analysis; to analyze　　　U6-L2
ぶんや　分野　field　　　U4-IR

へ

へいきん　平均　average; to average out　　　U3-IR
へいじつ　平日　weekday　　　U7-L1
へえ　oh; hmm; wow; I see　　　U1-L2　U4-L2
べっぷ　別府　Beppu *Name of a city　　　U4-L1
べねっせきょういくそうごうけんきゅうじょ　ベネッセ教
育総合研究所　Benesse Educational Research and
Development Institute　　　U3-L1
へる　減る　to decrease
　　　U2-IR　U3-SR　U5-L2　U7-IR　U8-L2

へんか　変化　change; transformation;
　to (undergo a) change/transform　U2-IR　U3-L1　U5-IR
べんりさ　便利さ　convenience　　　U2-IR

ほ

ポイント　(percentage) points　　　U3-L2
ほうほう　方法　way; method　　　U6-IR　U8-SR
ホームページ　website　　　U7-L1　U8-IR
ほか　他　besides these; along with these; other
　　　U4-IR　U6-IR　U7-IR　U8-L2
ほくとう　北東　northeast　　　U4-IR
ほご　保護　protection; to protect　　　U8-SR
ぼご　母語　mother tongue; native language　　　U7-SR
ほしいも　干し芋　dried sweet potato　　　U4-IR
ほそながい　細長い　elongated; long and thin
　　　U8-L2
ほぞん　保存　saving; preservation; to save/preserve
　　　U7-IR
ほっかいどう　北海道
　Hokkaido *Name of a prefecture　　　U4-IR
ホット　hot　　　U1-SR
ポッドキャスト　podcast　　　U4-L1　U7-L2
ホットスポット　hotspot　　　U8-SR
ほんがく　本学　this school　　　U3-IR
ほんこん　香港　Hong Kong　　　U8-L2

ま

まあ　well　　　U2-L2　U3-L2
マーケット　market　　　U8-L1
任せる　to entrust; to leave to　　　U7-L1
ますます　more and more　　　U3-L1
まっちゃ　抹茶　matcha　　　U1-IR
まつり　祭り　festival　　　U4-SR
まもる　守る　to protect　　　U8-SR
まよう　迷う
　to hesitate; to go back and forth over　　　U3-IR
マンション　condominium; apartment　　　U3-IR

み

みずぎ　水着　swimsuit　　　U5-IR
みぢか（な）　身近（な）　close; familiar　　　U7-SR
みっかぼうず　三日坊主　fickle; gives up easily　　　U6-L1
みと　水戸　Mito *Name of a city　　　U4-IR
～みまん　～未満　less than ~; under ~　　　U3-SR
みやざき　宮崎
　Miyazaki *Name of a prefecture　　　U8-L2
みらい　未来　future　　　U5-SR

みりょく　魅力　attraction; appeal　　　　　　　U4-IR
みりょくてき（な）　魅力的（な）
　　attractive; appealing　　　U4-SR　U7-IR
みりょくど　魅力度　attraction level　　　　　U4-IR

む

むす　蒸す　to steam　　　　　　　　　　　　U4-IR
むりょう　無料　free of charge　　　　　　　　U7-IR

め

～めい　～名　～ people *Counter word　U3-L1　U6-IR
めいえん　名園　famous garden　　　　　　　　U4-IR
めいじじだい　明治時代　Meiji period　U1-IR　U8-IR
メーカー　company; manufacturer　　　　　　U4-IR
メロン　melon　　　　　　　　　　　　　　　U4-IR

も

もうかる　儲かる　to profit　　　　　　　　　U5-L2
もくてき　目的　aim; objective; purpose
　　　　　　　　U3-SR　U6-SR　U7-IR
もちこむ　持ち込む　to bring in　　　　　　　U8-L1

や

やく～　約～　about ～; around ～
　　　　　U1-SR　U3-IR　U4-IR　U7-IR　U8-L2
やくわり　役割　role　　　　　　　　　　　　U7-IR
やせい　野生　wild　　　　　　　　　　　　　U8-IR
やまがた　山形
　　Yamagata *Name of a prefecture　　　U4-L2
やめる　辞める　to quit　　　　　　　　　　　U2-SR
やるき　やる気　motivation　　　　　　　　　U6-IR

ゆ

ゆういぎ（な）　有意義（な）　meaningful; useful　U3-IR
ゆうせん　優先　priority, to prioritize　　　　　U2-IR
ゆたか（な）　豊か（な）
　　abundant; rich; plentiful　　　U2-SR　U4-IR

よ

ようちえん　幼稚園　kindergarten　　　　　　U6-L2
よさ　good aspect　　　　　　　　　　　　　U4-IR
よさん　予算　budget; funding　　　　　　　　U7-IR
よし　okay; alright　　　　　　　　　　　　　U6-L1
よそう　予想　prediction; to predict　U5-IR　U7-L2

ら

～らしい　~like; suited for ～　　　　　　　　U2-L2
らてんご　ラテン語　Latin　　　　　　　　　U5-SR
ランキング　ranking　　　　　　　　　　　　U4-IR

り

りく　陸　land　　　　　　　　　　　　　　　U4-IR
りけい　理系　natural science major　　　　　U3-IR
リサーチ　research; to research　　　　　　　U6-IR
リスク　risk　　　　　　　　　　U5-L1　U8-IR
リモートワーク　remote working　　　　　　U8-L1
りゅうがく　留学　study abroad; to study abroad　U7-L2
りゅうがくせい　留学生　overseas student　　U3-IR
りょう　寮　dorm　　　　　　　　　　　　　U3-IR
りょう　量　amount　　　　　　　　　　　　U5-L1
リンク　link; to link　　　　　　　　　　　　U7-L1

る

ルール　rule　　　　　　　　　　　　　　　U2-SR

れ

れいぞうこ　冷蔵庫　refrigerator　　　U1-IR　U5-L1
れいとうしょくひん　冷凍食品　frozen food　　U5-L1
レッドリスト　red list　　　　　　　　　　　U8-L2
レンズ　lens　　　　　　　　　　　　　　　U5-SR

ろ

ろんぶん　論文　thesis; research paper　　　　U3-IR

わ

わあ　wow　　　　　　　　　　　　　　　U4-SR
わかもの　若者　young people　　　　　　　　U7-L2
わかやま　和歌山
　　Wakayama *Name of a prefecture　　　U1-IR
わかれる　分かれる　to separate; to differ　　U6-IR
わける　分ける　to separate　　　U7-L2　U8-IR
わしんとんじょうやく　ワシントン条約　Washington
　　Convention *Name of a treaty　　　　　U8-SR
わだい　話題　topic　　　　　　　　　　　　U6-L2
～わり　～割
　　tenths (similar to percentage, but in tenths)　U7-IR

を

～をもとに　～を基に　based on ～　　　　　U4-SR

著者紹介

根本 愛子（ねもと あいこ）

一橋大学大学院言語社会研究科第2部門博士課程修了、博士（学術）。現在、東京大学大学院総合文化研究科准教授。著書に、『日本語学習動機とポップカルチャー〜カタールの日本語学習者を事例として〜（M-GTA モノグラフ・シリーズ3）』（ハーベスト社）がある。

ボイクマン 総子（ぼいくまん ふさこ）

大阪外国語大学大学院言語社会研究科博士後期課程修了、博士（言語・文化学）。現在、東京大学大学院総合文化研究科教授。著書に、『聞いて覚える話し方 日本語生中継』シリーズ、『ストーリーで覚える漢字』シリーズ、『わたしのにほんご』（全てくろしお出版・共著）、『生きた素材で学ぶ新・中級から上級への日本語』（ジャパンタイムズ出版・共著）がある。

参考文献

〈本書について〉

1）リベラルアーツ

菅付雅信 編（2018）『これからの教養 激変する世界を生き抜くための知の11講』ディスカヴァー・トゥエンティワン

瀬木比呂志（2015）『リベラルアーツの学び方』ディスカヴァー・トゥエンティワン

山口周（2021）『自由になるための技術 リベラルアーツ』講談社

2）アカデミック・ジャパニーズ

門倉正美（2006）「〈学びとコミュニケーション〉の日本語力 アカデミック・ジャパニーズからの発信」門倉正美他 編『アカデミック・ジャパニーズの挑戦』ひつじ書房, 3-20

山本富美子（2004）「アカデミック・ジャパニーズに求められる能力とは―論理的・分析的・批判的思考法と語彙知識をめぐって―」『移転記念シンポジウム―アカデミック・ジャパニーズを考える― 報告書』東京外国語大学留学生日本語教育センター, 1-6

3）研究知見

菅長陽一・松下達彦（2013）「オンライン日本語テキスト語彙分析器 J-LEX」http://www17408ui.sakura.ne.jp/（最終アクセス：2022年8月10日）

国際交流基金・横山紀子（2008）『聞くことを教える（国際交流基金教授法シリーズ5）』ひつじ書房

Koda K. and Yamashita J. (ed.) (2019) *Reading to Learn in a Foreign Language: An Integrated Approach to Foreign Language Instruction and Assessment*. Routledge Research in Language Education.

〈ユニット1〉

岡田哲（2012）『明治洋食事始め――とんかつの誕生』講談社学術文庫

桑原秀樹（2019）『増補改訂 宇治抹茶問屋4代目が教える お抹茶のすべて 歴史、文化、生産、品種から味わい方まで』誠文堂新光社

旦部幸博（2017）『珈琲の世界史』講談社現代新書

〈ユニット2〉

加藤彰（2020）『スーパー・ラーニング 即興型ディベートの教科書 東大で培った"瞬時に考えて伝えるテクニック"』あさ出版

河野周（2021）『中学・高校 英語ディベート入門』三省堂

中川智皓（2017）『授業でできる即興型英語ディベート』パーラメンタリーディベート人材育成協会

松本茂（2009）「授業ディベート編」松本茂・鈴木健・青沼智 編『英語ディベート授業と実践』玉川大学出版部

茂木秀昭（2001）『ザ・ディベート―自己責任時代の思考・表現技術』ちくま新書

〈ユニット4〉

昭文社地図編集部（2020）『グローバルマップル 日本地図帳』昭文社

地理教育研究会（2016）『知るほど面白くなる日本地理』日本実業出版社

〈ユニット5〉

アンディ・アンドルーズ（2011）『バタフライ・エフェクト 世界を変える力』ディスカヴァー・トゥエンティワン

トレバー・I・ウィリアムズ 著、片神貴子 訳（2015）『ノーベルと爆薬』玉川大学出版部

スティーブン・ジョンソン（2016）『世界をつくった6つの革命の物語 新・人類進化史』朝日新聞出版

〈ユニット6〉

上淵寿・大芦治 編著（2019）『新・動機づけ研究の最前線』北大路書房

鹿毛雅治 編（2012）『モティベーションをまなぶ12の理論』金剛出版

エドワード・L・デシ＋リチャード・フラスト 著、桜井茂男 監訳（1999）『人を伸ばす力 内発と自律のすすめ』新曜社

ゾルダン・ドルニェイ 著、米山朝二・関昭典 訳（2005）『動機づけを高める英語指導ストラテジー35』大修館書店

Ajsen, I. (1998) *Attitude, Personality and Behavior*. Chicago: Dorsey Press.

Eagly, A. H. and Chaiken, S. (1993) *The Psychology of Attitudes*. New York: Harcourt Brace.

〈ユニット7〉

「ニューヨーク公共図書館 エクス・リブリス」公式サイト http://moviola.jp/nypl/（最終アクセス：2022年8月10日）

文部科学省（2005）「第I部 諸外国の公共図書館に関する調査 調査結果の概要」

法律第百十八号（1950）「図書館法」(昭二五・四・三〇)

Zickuhr, K, Lee, R. and K. Purcell (2013) Younger Americans' Library Habits and Expectations. Pew Research Center.

〈ユニット8〉

今泉忠明（2017）『みんなが知りたい！ 日本の「絶滅危惧」動物がわかる本』メイツ出版

ジョージ・C・マクガヴァン 著、林良博 訳（2008）『絶滅危機動物図鑑 消えゆく野生動物たち』ランダムハウス講談社

ナショナルジオグラフィック（2014）「ずっとウナギを食べるには」https://natgeo.nikkeibp.co.jp/nng/article/20140821/412153/（最終アクセス：2022年8月10日）

ナショナル ジオグラフィック（2017）『100年後も見たい動物園で会える絶滅危惧動物』日経ナショナル ジオグラフィック

〈写真提供〉

PhotoAC ／ iStock ／ Pixta ／旧齋藤家別邸／ひなの宿ちとせ／ ffish.asia

東京大学教養学部の
アカデミック・ジャパニーズ

J–PEAK

Japanese
for
Liberal Arts
at
the University of Tokyo

中級
✦▸✦◂✦
Intermediate
Level

the japan times PUBLISHING

もくじ
Contents

単語リスト・文型表現
たん ご　　　　　　　　　　　　　ぶん けい ひょう げん
Vocabulary List & Building Sentences

単語リストの記号 _{たんご きごう} Symbols in Vocabulary List

★★ = terms you should be able to use on your own, including reading and writing (active vocabulary)

★ = terms you should be able to read and understand the meaning of, even if you cannot write them (passive vocabulary).

[N] = noun   [N スル] = Nouns that become verbs by adding *suru*

[V] = verb   [い Adj.] = い adjective   [な Adj.] = な adjective   [Adv.] = adverb

[Conj.] = Conjugation   [Others] = suffix, expression, etc.

品詞と活用形の記号 _{ひんし かつようけい きごう} Symbols for Parts of Speech and Conjugations

名詞	noun	**N**	学生
い形容詞	い adjective	**イA** い	おいしい
い形容詞語幹	stem of い adjective	**イA**	おいし
な形容詞	な adjective	**ナA** な	有名な
な形容詞語幹	stem of な adjective	**ナA**	有名
動詞	verb		
辞書形	dictionary form	**V dic**	行く
マス形	ます form	**Vます**	行きます
マス形語幹	stem of ます form	**Vます**	行き
ナイ形	ない form	**Vない**	行かない
ナイ形語幹	stem of ない form	**Vない**	行か
テ形	て form	**Vて**	行って
タ形	た form	**Vた**	行った
バ形	ば form	**Vば**	行けば
普通体	Plain form	**plain**	

名詞	affirmative	negative
non-past	学生だ	学生じゃない
past	学生だった	学生じゃなかった

な形容詞	affirmative	negative
non-past	有名だ	有名じゃない
past	有名だった	有名じゃなかった

い形容詞	affirmative	negative
non-past	おいしい	おいしくない
past	おいしかった	おいしくなかった

動詞	affirmative	negative
non-past	行く	行かない
past	行った	行かなかった

Unit 1　食べ物・飲み物の歴史　History of food and drink

ていねいに読む　Intensive Reading

★	抹茶	まっちゃ	matcha	[N]
★★	出会い	であい	encounter	[N]
★	粉	こな	powder	[N]
★★	茶道	さどう	Japanese tea ceremony	[N]
★★	明治時代	めいじじだい	Meiji period	[N]
★★	お茶屋	おちゃや	tea company	[N]
★	天皇	てんのう	Emperor	[N]
★★	当時	とうじ	at that time; at the time	[N]
★	冷蔵庫	れいぞうこ	refrigerator	[N]
	和歌山	わかやま	Wakayama *Name of a prefecture	[N]
★★	ある〜		a ~; a certain ~ (“ある + noun”)	[Others]
★★	海外	かいがい	abroad; overseas	[N]
★	大統領	だいとうりょう	president	[N]
★★	〜氏	〜し	Mr. ~; Ms. ~	[N]

すばやく読む　Speed Reading

★	〜世紀	〜せいき	~th century (“number + 世紀”)	[N]
★★	中東	ちゅうとう	the Middle East	[N]
★★	伝える	つたえる	to introduce; to bring to	[V]
★★	移民	いみん	immigrant	[N]
★★	〜によって		by ~; through ~	[Others]
★★	伝わる	つたわる	to be introduced; to be brought in	[V]
★	江戸時代	えどじだい	Edo period	[N]
★★	広まる	ひろまる	to spread	[V]
★	欧米	おうべい	the West; Europe and the United States	[N]
★★	約〜	やく〜	about ~; around ~ (“約 + number”)	[Others]
★★	全〜	ぜん〜	all ~	[Others]
★	協会	きょうかい	association (Association)	[N]
★★	ホット		hot	[N]
★	氷	こおり	ice	[N]
★★	スパイス		spice	[N]
★★	シロップ		syrup; liquid sweetener	[N]

聞く1　Listening 1

★	炒める	いためる	to stir fry	[V]
★	カレー粉	かれーこ	curry powder	[N]
★	煮る	にる	to simmer; to boil	[V]
★★	〜について		regarding ~; about ~	[Others]
★★	大正時代	たいしょうじだい	Taisho period	[N]
★★	つまり		in other words; this means	[Conj.]
★★	〜とも		both ~	[Others]

★★	カリフォルニアロール		California roll	[N]
★	寿司	すし	sushi	[N]
★	アボカド		avocado	[N]
★	カニカマ		crab sticks	[N]
★★	生	なま	raw	[N]
★★	苦手 (な)	にがて (な)	disliked	[なAdj.]
	カリフォルニア		California	[N]
★★	へえ		I see; wow	[Others]
★★	ふうん		hmm; I see	[Others]

1　X だけで（は）なく Y（も）　not only X but also Y

① 最近、抹茶は飲むだけではなく、料理やお菓子にも使われています。　p.25
まっちゃ　　　　　　　　　　　　　　　　　　　　　か　し
Recently, people not only drink matcha but also use it in dishes and sweets.

② 田中さんは英語だけでなく、中国語も上手に話せる。
Mr. Tanaka can fluently speak not only English but also Chinese.

③ 健康のために、運動するだけではなく、食べ物にも気をつけたほうがいい。
けんこう
To stay healthy, people should not only work out but also take care of their diet.

> | V | plain
> | イA | plain
> | ナA | な
> | N |
> 　　　　　だけで（は）なく
>
> This expression, in the form "X だけで（は）なく Y（も），" means "Y in addition to X" or "both X and Y."

❶ この話は＿＿＿＿＿＿＿＿＿＿だけでなく、＿＿＿＿＿＿＿＿＿＿も知っていることだ。

❷ 彼は＿＿＿＿＿＿＿＿＿＿だけでなく、＿＿＿＿＿＿＿＿＿＿からも人気がある。

❸ この映画は＿＿＿＿＿＿＿＿＿＿だけでなく、＿＿＿＿＿＿＿＿＿＿ので、おすすめです。

2 ～ため（に）　due to ~; since ~

① アイスクリームはとても高い食べ物だったため、お金持ちしか食べられませんでした。

Since ice cream was a very expensive food, only the rich were able to eat it.

p.25

② 問題が難しいため、誰も答えがわからない。

Since the problem is difficult, no one knows the answer.

③ 事故のために、電車が遅れています。しばらくお待ちください。

Due to an accident, the train has been delayed. We thank you for your patience.

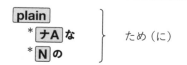

ため（に）

Similarly to "～から" and "～ので," this expression is used to express a reason. It is more often used in written language. It expresses the reason as to why a certain action was taken, or a certain event occurred. In the given form "X のために、Y," Y cannot be in an imperative form ("～てください," "～なさい"), or used as a supposition ("～でしょう").

❶ ＿＿＿＿＿＿＿＿＿＿＿＿＿のために、＿＿＿＿＿＿＿＿＿＿＿＿＿＿＿＿＿＿＿＿。

❷ ＿＿＿＿＿＿＿＿＿＿＿＿＿＿＿＿＿＿＿＿＿＿＿＿がわからなかったため、

＿＿＿＿＿＿＿＿＿＿＿＿＿＿＿＿＿＿＿＿＿＿＿＿＿＿＿＿＿＿＿＿＿＿。

❸ ＿＿＿＿＿＿＿＿＿＿＿＿＿＿＿＿＿＿＿＿＿＿＿＿＿＿ため（に）、

＿＿＿＿＿＿＿＿＿＿＿＿＿＿＿＿＿＿＿＿＿＿＿＿＿＿＿＿＿＿＿＿＿＿。

Unit 1 食べ物・飲み物の歴史

③ ～ようになる　start to do ～; come to do ～

① 日本で電気冷蔵庫が使われるようになると、アイスクリームがよく食べられるようになりました。　(p.25)
れいぞうこ

When electric refrigerators started being used in Japan, people began to eat ice cream very often.

② 前は家で家族と食事をしていましたが、大学に入ってから大学の食堂で友達と食べるようになりました。
しょくどう　ともだち

I used to eat at home with my family, but started eating at the school canteen with my friends since entering university.

③ どこにいても、世界のことがすぐわかるようになったのは、インターネットが使えるようになったからだ。

It has become possible to learn about the world from anywhere right away thanks to the development of internet.

V dic ようになる

This phrase expresses a situation that "changed naturally," as in "previously was ～ but now is …"
The negative form of the expression can be found below in grammar point 4. " ～なくなる."

---

❶ 子どもの頃は＿＿＿＿＿＿＿＿＿＿＿が、最近＿＿＿＿＿＿＿＿＿＿＿ようになった。
ころ

❷ 大学に入学してから、＿＿＿＿＿＿＿＿＿＿＿＿＿＿＿＿ようになった。

❸ わたしが＿＿＿＿＿＿＿＿＿＿＿ようになったのは、＿＿＿＿＿＿＿＿＿＿＿からだ。

④ ～なくなる　no longer do ～

① 和歌山県にあるお茶屋は、夏の間は、暑くてお茶が売れなくなるので、何か売れるものを作ろうと考えて、抹茶アイスクリームを売り始めました。　(p.25)
わかやま　まっちゃ

During summer, it is so hot that tea no longer sells well, so a tea company in Wakayama Prefecture decided to make something that would sell and began selling matcha ice cream.

② 子どもの頃は、田中さんとよく遊んでいたのに、最近は全然遊ばなくなった。
ころ　あそ　ぜんぜんあそ

I used to play with Mr. Tanaka often as a child, buy we don't play at all any more recently.

③ 車を運転するようになってから、自転車に乗らなくなった。

Since I began driving a car, I no longer ride my bicycle.

> **V ない** なくなる
>
> This phrase expresses a natural change in a situation, as in "previously was ~, but now is no longer ..."

❶ 大学に入学してから、＿＿＿＿＿＿＿＿＿＿＿＿＿＿＿＿＿＿＿＿なくなった。

❷ ＿＿＿＿＿＿＿＿＿＿＿＿＿＿たら、＿＿＿＿＿＿＿＿＿＿＿＿なくなった。

❸ ＿＿＿＿＿＿＿＿＿＿＿なくなったのは、＿＿＿＿＿＿＿＿＿＿＿からだ。

5 ～間（は）　during ~; while ~

① 夏の間は、暑くてお茶が売れなくなる。　　　　　　　　　　　　　　p.25
　　あいだ
　　During summer, it is so hot that tea no longer sells well.

② 日本にいる間は、日本語しか使わない生活をしようと思っています。
　　　　　あいだ　　　　　　　　　　　せいかつ
　　While living in Japan, I think I will try to only use Japanese.

③ 駅で電車を待っている間、わたしはずっと本を読んでいた。
　　　　　　　　　　あいだ
　　I was reading a book the whole time while waiting for the train at the station.

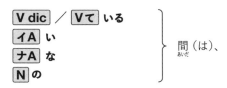

> **V dic** ／ **V て** いる
> **イA** い
> **ナA** な　　　　　　　間（は）、
> **N** の　　　　　　　　あいだ
>
> This expresses time, similar to the way the phrase "～から、～まで" does. The form "X の間、Y"
> 　　　　　　　　　　　　　　　　　　　　　　　　　　　　　　　　　　　　　あいだ
> means "During X, situation Y continued the whole time."

❶ 大学にいる間、＿＿＿＿＿＿＿＿＿＿＿＿＿＿＿＿＿＿＿＿＿＿＿＿。
　　　　あいだ

❷ ＿＿＿＿＿＿＿＿＿＿＿ている間、ずっと＿＿＿＿＿＿＿＿＿＿＿＿＿。
　　　　　　　　　　　　　　　あいだ

❸ ＿＿＿＿＿＿＿＿＿＿＿間、＿＿＿＿＿＿＿＿＿＿＿＿＿＿＿＿＿＿。
　　　　　　　　　　　　あいだ

6 （Nによると）～ということだ　(according to N,) it seems ~

① 全日本コーヒー協会によると、2020年には、一人が一週間に約11杯のコーヒーを飲んでいるということです。　　(p.29)

According to the All Japan Coffee Association, it seems that in 2020, people drank about 11 cups of coffee per week.

② 先輩の話では、夏休みにインターンシップをしたかったら、早く探したほうがいいということだ。

According to my senior, if you want a summer internship, you should start searching soon.

③ 医者によると、いちごを5個食べれば1日に必要なビタミンCが50mgとれるということだ。

According to the doctor, it seems you can get your daily 50mg dose of vitamin C if you eat 5 strawberries.

---

plain ということだ

This phrase is used to communicate information heard from another person or read in an article. In the form "Xによると、Yということだ," X and Y represent the source and the given information respectively.

---

❶ ニュースによると、＿＿＿＿＿＿＿＿＿＿＿＿＿＿＿＿＿＿＿＿＿＿ということだ。

❷ ＿＿＿＿＿＿＿＿の話によると＿＿＿＿＿＿＿＿＿＿＿＿＿＿＿＿＿ということだ。

❸ ＿＿＿＿＿＿＿＿によると、＿＿＿＿＿＿＿＿＿＿＿＿＿＿＿＿＿＿＿＿。

Unit **2**　田舎に住むか、都会に住むか　Urban Life vs. Rural Life
いなか

		ていねいに読む Intensive Reading		
★★	田舎	いなか	countryside; rural place	[N]
★★	都会	とかい	city; urban place	[N]
★	～によって		depending on ~	[Others]
★	背景	はいけい	(personal) background	[N]
★	状況	じょうきょう	circumstance; situation	[N]
★	優先	ゆうせん	priority, to prioritize	[Nスル]
★	順位	じゅんい	rank	[N]
★★	手段	しゅだん	method	[N]
★★	便利さ	べんりさ	convenience	[N]
★★	～について		regarding ~; about ~	[Others]
★	(電車に)乗り遅れる	(でんしゃに)のりおくれる	to miss (a train)	[V]
★★	直接	ちょくせつ	directly	[Adv.]
★★	(傘を)さす	(かさを)さす	to put up; to use (an umbrella)	[V]
★	税金	ぜいきん	tax	[N]
★	駐車場	ちゅうしゃじょう	parking lot	[N]
★	希望	きぼう	desire; hope; to desire/hope	[Nスル]
★★	子育て	こそだて	child-rearing; parenting	[Nスル]
★★	自然	しぜん	nature	[N]
★★	結論	けつろん	conclusion	[N]
★★	インターネット		the internet	[N]
★★	進歩	しんぽ	advancement; development; to advance; to develop	[Nスル]
★★	差	さ	difference; gap; disparity	[N]
★★	ネット		the internet	[N]
★★	オンライン		online	[N]
★	減る	へる	to decrease	[V]
★★	変化	へんか	change; transformation; to change/transform	[Nスル]

		すばやく読む Speed Reading		
★	豊か(な)	ゆたか(な)	abundant; rich	[なAdj.]
★★	のんびり		leisurely; calmly; relaxed	[Adv.]
★	辞める	やめる	to quit	[V]
★	農業	のうぎょう	farming	[N]
★★	ルール		rule	[N]
★★	アドバイス		advice; to give advice	[Nスル]
★★	取り組み	とりくみ	effort; program	[N]
★★	情報	じょうほう	information	[N]
★	引っ越し	ひっこし	moving; to move (home, office, etc.)	[Nスル]
★★	体験	たいけん	experience; to experience	[Nスル]

	聞く1		Listening 1	
★	憧れ	あこがれ	longing; aspiration	[N]
★★	実家	じっか	(parents') home	[N]
★★	ただ		however	[Conj.]
★★	調子	ちょうし	feeling; condition	[N]
★★	なんか		times like; something like (dismissive)	[Others]

	聞く2		Listening 2	
★★	まあ		well	[Others]
★★	出身	しゅっしん	person's origin (town, country, etc.)	[N]
★	お互い	おたがい	each other	[N]
★	塾	じゅく	cram school; tutoring school	[N]
★★	習い事	ならいごと	extracurricular lessons	[N]
★★	~らしい		~like; suited for ~	[Others]
★	絶対	ぜったい	definitely	[Adv.]

1 ～なら   if ~, then; when it comes to ~

① 住むなら田舎がいいか、都会がいいか。

p.41

When it comes to choosing a place to live, would you choose a rural or urban area?

② A：時間がないんです。

B：時間がないなら、あとでゆっくり話しましょう。

A: I don't have time.

B: If you don't have time, let's talk later.

③ A：車の運転は下手なんですが、この辺はバスとか、電車がないんです。

B：それなら、運転するしかないですね。

A: I'm not good at driving, but there are no busses or trains nearby.

B: In that case (= if you're not good at driving but there is no public transport nearby, then), you have no choice but to drive.

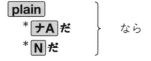

similar expression: ～（の／ん）だったら

In the form "X なら、Y," X expresses the topic of a sentence. It means "assuming X" or "in a case like X" (①). When used after listening to what the other person has said and their specific examples, it means "if you say it's X, then Y" (②), "generally, in a situation like X, Y" (③). This is a conversational expression that is often used to convey your opinion on what should happen following a certain situation in response to the speaker's previous statement.

❶ A：＿＿＿＿＿＿＿＿＿＿＿＿＿＿＿たいんですが、何かおすすめはありませんか。

B：＿＿＿＿＿＿＿＿＿なら、＿＿＿＿＿＿＿＿＿＿＿＿＿。

❷ ＿＿＿＿＿＿＿＿＿がないなら、＿＿＿＿＿＿＿＿＿＿＿＿＿。

❸ A：＿＿＿＿＿＿＿＿＿＿＿＿＿＿＿＿＿＿＿＿＿。

B：＿＿＿＿＿＿＿なら、＿＿＿＿＿＿＿＿＿＿＿＿＿。

② なぜなら、〜からだ　this is because 〜

① 選んだ答えが同じでも、その理由は同じではないでしょう。なぜなら、背景や状況、優先順位によって、いろいろな考え方があるからです。
[p.41]

Even if people choose the same answer, their reasonings are unlikely to be the same. This is because people have different backgrounds, circumstances, and priorities.

② 抹茶アイスクリームは世界中で人気だ。なぜなら、アイスの甘さと抹茶の苦さの二つの味を同時に楽しめるし、おいしいからだろう。

Matcha ice cream is popular worldwide. This is likely because one can enjoy both the sweetness of the ice cream and the bitterness of the matcha at the same time, and it tastes delicious.

③ 1964年に日本で初めて新幹線ができた。なぜなら、東京オリンピックが行われたからだ。

Japan's first bullet train was built in 1964. This is because the Tokyo Olympics were held.

---

plain からだ

The expression "Y。なぜなら X からだ" is used to explain the cause or reason for Y, represented by the X that follows.

---

❶ 毎日日本語の勉強をしている。なぜなら、＿＿＿＿＿＿＿＿＿＿＿＿＿からだ。

❷ ＿＿＿＿＿＿＿＿＿＿。なぜなら、＿＿＿＿＿＿＿＿＿いいからだ。

❸ ＿＿＿＿＿＿＿＿＿＿。なぜなら、＿＿＿＿＿＿＿＿＿からだ。

3 ～こと が／も ある　~ happens sometimes/occasionally

① 田舎では、電車に乗り遅れた場合、次の電車は１時間後ということもあるため、車に乗る人が多いです。　(p.41)

If you miss the train in a rural place, sometimes the next train only will only come an hour later, so many people drive cars.

② この薬を飲むと、眠くなることがあります。運転する時は飲まないでください。

If you take this medicine, you might get drowsy, so don't take it when driving.

③ 何度説明を聞いても、わからないこともある。

There are times when you can't understand something no matter how many times you listen to the explanation.

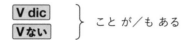　こと が／も ある

The expression "X こと が／も ある" indicates that "occasionally X happens/does not happen, but not always."

---

❶ その絵を見ると、＿＿＿＿＿＿＿＿＿＿＿＿＿＿＿＿＿＿＿＿ことがある。

❷ 何度＿＿＿＿＿＿＿＿＿＿＿＿＿＿＿＿＿＿＿＿＿＿＿＿＿＿ こともある。

❸ 誰でも＿＿＿＿＿＿＿＿＿＿＿＿＿＿＿＿＿＿＿＿＿＿＿＿＿ことがある。

Unit 3 大学生活の過ごし方 How Students Spend Their College Days
せいかつ　す　かた

			ていねいに読む Intensive Reading	
★★	新入生	しんにゅうせい	new student	[N]
★★	合格	ごうかく	acceptance; to pass/get in	[Nスル]
★★	人生	じんせい	life	[N]
★	一人暮らし	ひとりぐらし	living alone	[N]
★	真剣（な）	しんけん（な）	serious	[なAdj.]
★★	サークル		(university) club	[N]
★★	活動	かつどう	activity; to do activities	[Nスル]
★	迷う	まよう	to hesitate; to go back and forth over	[V]
★★	参考	さんこう	reference	[N]
★★	本学	ほんがく	this school	[N]
★★	実際に	じっさいに	actually	[Adv.]
★★	図	ず	diagram; figure	[N]
★★	対象	たいしょう	subject; target	[N]
★★	調査	ちょうさ	survey; to investigate/survey	[Nスル]
★★	結果	けっか	result	[N]
★★	通学	つうがく	school commute; to commute to school	[Nスル]
★★	男女	だんじょ	men and women; both sexes	[N]
★★	示す	しめす	to show; to demonstrate	[V]
★★	グラフ		graph; chart	[N]
★★	男子	だんし	male; man	[V]
★★	女子	じょし	female; woman	[V]
★	自宅生	じたくせい	student living with family	[V]
★	平均	へいきん	average; to average out	[Nスル]
★★	自宅外生	じたくがいせい	student living away from family	[N]
★★	～弱	～じゃく	a little less than ~ ("number + 弱")	[Others]
★	寮	りょう	dorm	[N]
★★	過ごす	すごす	to spend (time)	[V]
★★	約～	やく～	about ~; around ~ ("約 + number")	[Adv.]
★	留学生	りゅうがくせい	overseas student	[N]
★★	大学院生	だいがくいんせい	graduate student	[N]
★	背景	はいけい	(personal) background	[N]
★★	おしゃべり		chatting; talking; to chat/talk	[Nスル]
★★	マンション		condominium; apartment	[N]
★	悩む	なやむ	to worry; to be concerned	[V]
★	貴重（な）	きちょう（な）	valuable	[なAdj.]
★★	一方	いっぽう	on the other hand; meanwhile	[Conj.]
★	往復	おうふく	round trip; to go back and forth	[Nスル]
★★	読書	どくしょ	reading; to read	[Nスル]
★★	有意義（な）	ゆういぎ（な）	meaningful; useful	[なAdj.]
★	文系	ぶんけい	social science major	[N]
★	理系	りけい	natural science major	[N]
★	比較	ひかく	comparison; to compare	[Nスル]

Unit 3 大学生活の過ごし方

13

		ていねいに読む	Intensive Reading	
★	課題	かだい	assignment	[N]
★★	論文	ろんぶん	thesis; research paper	[N]
★★	実験	じっけん	experiment; lab; to do an experiment	[Nスル]
★★	かなり		quite; very	[Adv.]
★★	学習	がくしゅう	study; learning; to study/learn	[Nスル]
★★	つまり		in other words; this means	[Conj.]
★★	それぞれ		each; respectively	[Adv.]
★★	インタビュー		interview; to interview	[Nスル]
★★	詳しく	くわしく	in depth; in detail	[Adv.]

		すばやく読む	Speed Reading	
★	奨学金	しょうがくきん	scholarship; student loan	[N]
★★	仕送り	しおくり	allowance; to send money	[Nスル]
★	金額	きんがく	cost; price	[N]
★★	目的	もくてき	aim; objective; purpose	[N]
★	全国大学生活協同組合連合会	ぜんこくだいがくせいかつきょうどうくみあいれんごうかい	National Federation of University Co-operative Associations	[N]
★★	〜から…にかけて		from ~ into/through ...	[Others]
★★	全国	ぜんこく	whole country; nationwide	[N]
★★	アンケート		survey; questionnaire	[N]
★	減る	へる	to decrease	[V]
★	〜未満	〜みまん	less than ~; under ~ ("number + 未満")	[N]
★★	全体的（な）	ぜんたいてき（な）	overall	[なAdj.]
★	生活費	せいかつひ	living expense	[N]
★	節約	せつやく	saving (money); cutting down (expenses); to save/cut down	[Nスル]
★★	増やす	ふやす	to increase	[V]

		聞く1	Listening 1	
★★	苦しい	くるしい	difficult; rough; struggling	[いAdj.]
★	投稿	とうこう	post (used for online media); to post	[Nスル]
★★	コメント		comment; to comment	[Nスル]
★	暮らす	くらす	to live	[V]
★★	感じる	かんじる	to feel	[V]
★★	変化	へんか	change; to (undergo a) change	[Nスル]
★	状況	じょうきょう	situation	[N]
★★	〜について		regarding ~; about ~	[Others]
★★	データ		data	[N]
★	ご覧ください	ごらんください	please take a look (polite form)	[Others]
	ベネッセ教育総合研究所	べねっせきょういくそうごうけんきゅうじょ	Benesse Educational Research and Development Institute	[N]
★★	〜名	〜めい	~ people *counter word ("number + 名")	[Others]

14

			聞く 1 Listening 1	
★★	〜に対し	〜にたいし	as opposed to ~; in contrast to ~	[Others]
★★	そもそも		first of all; to begin with	[Conj.]
★★	ますます		more and more	[Adv.]
★★	サポート		support; assistance; help; to support/help	[Nスル]
★★	発表	はっぴょう	presentation; to give a presentation	[Nスル]

			聞く 2 Listening 2	
★★	部活動	ぶかつどう	club/team activities	[N]
★★	〜によると		according to ~	[Others]
★★	明らか（な）	あきらか（な）	clear; apparent; obvious	[なAdj.]
★★	まあ		kind of; well; sort of	[Others]
★★	ポイント		(percentage) points	[N]

1 〜て初めて　only when ~; not until ~

① 大学生になって初めて一人暮らしを始めた人は、自分の時間をどう使えばいいか真剣に考えるようになったと思います。 **p.60**

It was only when students started living alone after entering university that they started thinking seriously about how they should best spend their own time.

② 一人で生活して初めて、両親に「心からありがとう」という感謝の気持ちを持った。

It was only when I started living on my own that I felt grateful to my parents from the bottom of my heart.

③ 漫画を描くのが好きでいつも描いていた。でも、プロになって初めて、もう描きたくないと思うようになった。

I always enjoyed drawing manga and I used to draw all the time. However, it was only when I went professional that I realized I didn't feel like drawing anymore for the first time.

> **V て** 初めて
>
> This phrase, in the form "X て初めて Y," explains the things noticed, learned, and understood after experiencing X for the first time. It expresses the feeling that X needs to first be experienced in order for state Y to occur.

❶ 日本に来て初めて、＿＿＿＿＿＿＿＿＿＿＿＿＿＿＿＿＿＿＿＿＿＿＿＿＿＿。

❷ ＿＿＿＿＿＿＿＿＿＿＿＿＿初めて、＿＿＿＿＿＿＿＿＿が大切だと思うようになった。

❸ ＿＿＿＿＿＿＿＿＿＿＿＿＿初めて、＿＿＿＿＿＿＿＿＿＿＿＿＿と思った。

② N を対象に　targeted at N
たいしょう

① 図1と2は、本学の学生を対象に毎年行っている学生の生活時間に関する調査の結果です。
Figures 1 and 2 show the results of an annual survey targeted at students at our school regarding their daily schedules. (p.60)

② A：これは誰を対象にした調査なんですか。
　B：渋谷で働く20代の女性を対象にした調査です。
A: Who was the target of this survey?
B: The survey was targeted at females in their 20's working in Shibuya.

③ このサークルでは、市内の外国人を対象に日本語を教えるボランティアをしています。
In this club, we volunteer teaching Japanese to foreigners in the city.

> **N₁** を ｛ 対象に
> たいしょう
> 　　　　　対象にした **N₂**
> たいしょう
>
> This phrase means "targeted at."

❶ この調査は_____を対象に行われました。
ちょうさ　　　　　　　　　　　　　　　　　　　　　　　　　　　　たいしょう

❷ _____は、_____を対象にした
　　　　　　　　　　　　　　　　　　　　　　　　　　　　　　　　たいしょう

_____に関する調査の結果を表したものです。
　　　　　　　　　　　　　かん　　ちょうさ　けっか　あらわ

❸ _____。

③ N に関して　in regards to N; about N; on N
かん

① 図1と2は、本学の学生を対象に毎年行っている学生の生活時間に関する調査の結果です。
Figures 1 and 2 show the results of an annual survey conducted on students at our school regarding their daily schedules. (p.60)

② 海のプラスチックゴミ問題に関して調べた。
かん　　しら
I did research on the plastic waste issue in the ocean.

③ 日本の歴史に関する番組を見て、日本に興味を持った。
れきし　かん　ばんぐみ　　　　　　きょうみ
I watched a TV show about Japanese history, and became interested in Japan.

> **N₁** ｛ に関して
> かん
> 　　　　　に関する **N₂**
> かん
>
> This phrase is used to explain the object or the content of a topic. It is more of a formal, written expression than "〜について."

❶ A：発表のテーマは何ですか。
　　　はっぴょう

　　 B：＿＿＿＿＿＿＿＿＿＿＿＿＿＿＿＿＿＿＿＿＿＿＿＿＿に関する問題です。
　　　　　　　　　　　　　　　　　　　　　　　　　　　　　　　かん

❷ わたしは、＿＿＿＿＿＿＿＿＿＿＿＿＿＿＿＿＿＿＿に関して、ほとんど知らない。
　　　　　　　　　　　　　　　　　　　　　　　　　　　かん

❸ 今朝読んだ＿＿＿＿＿＿＿＿＿＿＿に関する記事は＿＿＿＿＿＿＿＿＿＿＿＿＿。
　　　　　　　　　　　　　　　　　かん　　きじ

４ N は X を示したグラフだ　N is a graph showing X
　　　　　　　　しめ

① 図１は、住んでいる場所のタイプと通学時間を男女別に示したグラフです。　p.60
　　　　　　　　　　　　　　　　　　　　　　　　　しめ

Figure 1 is a graph displaying the types of areas students live in and the time they spend commuting to school based on gender.

② 図２は、１週間に、何にどのぐらいの時間をかけるか、文系の学生と理系の学生で比較
　　　　　　　　　　　　　　　　　　　　　　　　　ぶんけい　　　　　りけい　　　　　ひかく
した図です。　p.61

Figure 2 is a graph comparing how much time students spend on what in a week between humanity majors and science majors.

③ 下の図は、留学したくない理由を表したものです。
　　　　　　りゅうがく　　　　りゆう　あらわ

The figure below is a graph showing students' reasons for not wanting to study abroad.

| N は | X を示した
　　しめ
X を表した
　　あらわ
X と Y を比較した
　　　　ひかく | グラフ／図／表 だ |

This expression is used for explaining a graph/figure/chart.

❶ これは、＿＿＿＿＿＿＿＿＿＿＿＿＿＿＿＿＿＿＿＿＿＿＿＿＿＿＿＿＿＿。

❷ この図は、＿＿＿＿＿＿＿＿＿＿＿＿＿＿＿＿＿＿＿＿＿＿＿＿＿＿＿＿＿。

❸ ＿＿＿＿＿＿＿＿＿＿＿＿＿＿＿＿＿＿＿＿＿＿＿＿＿＿＿＿＿＿＿＿＿＿。

5 ～なっている　　results show ~; is ~ (expressing results)

① 通学時間は、自宅生は平均 1 時間で、自宅外生はその半分の平均 30 分弱となっています。

(じたくせい　へいきん　　　　じたくがいせい　　　　　　　　　　へいきん)

$\boxed{\text{p.60}}$

The results show that the average commute time is around 1 hour for students living with family, and around half of that at a little less than 30 minutes for those who aren't.

② 授業時間は、文系が平均 14.4 時間、理系が 19.2 時間で、理系のほうが長くなっています。

(じゅぎょう　　ぶんけい　へいきん　　　　りけい　　　　　　　　　りけい)

$\boxed{\text{p.61}}$

As for the average time spent in class, it is 14.4 hours for humanity majors, and longer at 19.2 hours for science majors.

③ 自宅以外に住んでいる女子学生は、34.7％になっています。

(じたく)

The percentage of female students not living with family is 34.7%.

イA	い く
ナA	に
N	と／に

} なっている

This phrase expresses results.

---

❶ ＿＿＿＿＿＿＿＿＿＿は＿＿＿＿＿＿＿＿＿％＿＿＿＿＿＿＿＿＿＿。

❷ ＿＿＿＿＿＿＿＿＿＿は＿＿＿＿＿＿＿＿＿人＿＿＿＿＿＿＿＿＿＿。

❸ ＿＿＿＿＿＿＿＿＿＿＿＿＿＿＿＿＿＿＿＿＿＿＿＿＿＿＿＿＿。

6 Nから〜（という）ことが言える　one can say from/based on N that 〜

① この結果から、授業に関係のあることには理系のほうが、授業に関係のないことには文系のほうが、それぞれ長く時間をかけているということが言えそうです。 (p.62)

From this result, one can probably say that science majors spend more time on class-related activities, and humanity majors spend more time on activities not related to class.

② アンケートの結果から、大学生は仕事を決めるとき、お金よりどんな仕事かを大切にしていることがわかります。

One can see from the survey results that university students care more about the type of work than the pay when deciding on a job.

③ グラフから、１日の勉強時間が一番長いのは、２年生だということが言えます。

From the graph, one can say that second year students spend the most time studying per day.

N から **plain** （という）ことが
　　　言える
　　　言えそうだ
　　　わかる

Given that X=information source, and Y=results or findings, the phrase "X から Y （という）ことが言える" expresses that "Y is understood from/based on X."

---

❶ このグラフから、＿＿＿＿＿＿＿＿＿＿＿＿＿＿＿＿＿＿＿＿ことがわかる。

❷ ＿＿＿＿＿＿＿＿＿調査から＿＿＿＿＿＿＿＿＿＿＿＿＿ことが言えそうだ。

❸ ＿＿＿＿＿＿＿から＿＿＿＿＿＿＿＿＿＿＿＿＿＿＿＿ことが言える。

7 〜に対して   in contrast to ~; while ~

① 2001年から2010年にかけて仕送り10万円以上の割合が約60%から約30%へと半分に減っています。それに対して、仕送りが5万円未満の学生は、2020年には1995年の約3倍に増えています。   **p.66**

The percentage of students receiving an allowance of 100,000 yen or more has halved from around 60% to around 30% from 2001 to 2010. In contrast to that, the number of students receiving less than 50,000 yen in 2020 has around tripled from 1995.

② 朝ご飯は、自宅生は約80%が食べていたのに対して、一人暮らしの学生は、56%しか食べていなかった。

In regards to eating breakfast, only 56% of students living on their own ate breakfast while 80% of students living with their family did.

③ 日本の大学生は将来のためにお金をためる人が多いのに対して、旅行や遊びのために貯金する人は少ないそうだ。

While many Japanese university students save money for the future, few save for vacation or recreation.

| plain の |
| * ナA だの | に対して
| * N だ |

This phrase means "in contrast to/while."

---

❶ 大学の食堂は＿＿＿＿＿＿＿＿＿＿＿＿＿＿＿＿＿＿＿のに対して、

駅前のレストランは＿＿＿＿＿＿＿＿＿＿＿＿＿＿＿＿＿＿＿。

❷ 東京は＿＿＿＿＿＿＿＿＿＿＿のに対して、京都は＿＿＿＿＿＿＿＿＿＿＿。

❸ ＿＿＿＿＿＿＿＿＿＿は＿＿＿＿＿＿＿＿＿＿＿＿のに対して、

＿＿＿＿＿＿＿＿＿＿は＿＿＿＿＿＿＿＿＿＿＿＿＿＿＿＿＿。

			ていねいに読む Intensive Reading	
	茨城	いばらき	Ibaraki *Name of a prefecture	[N]
★★	移住	いじゅう	moving; migration; to move/migrate	[Nスル]
★	都道府県	とどうふけん	prefecture	[N]
★	魅力度	みりょくど	attraction level	[N]
★★	ランキング		ranking	[N]
★★	最下位	さいかい	worst rank; lowest rank	[N]
★★	ちなみに		by the way	[Conj.]
★	魅力	みりょく	attraction; appeal	[N]
★★	生まれ育つ	うまれそだつ	to be born and raised	[V]
★★	記事	きじ	article; text	[N]
★★	～について		regarding ~; about ~	[Others]
★★	よさ		good aspect	[N]
★★	関東	かんとう	Kanto *Name of a region	[N]
★★	地方	ちほう	region	[N]
★	県庁	けんちょう	prefectural government office	[N]
★★	所在地	しょざいち	location	[N]
	水戸	みと	Mito *Name of a city	[N]
★★	北東	ほくとう	northeast	[N]
★★	離れる	はなれる	to be away (from)	[V]
★★	通学	つうがく	school commute; to commute to school	[Nスル]
★	通勤	つうきん	work commute; to commute to work	[Nスル]
★★	自然	しぜん	nature	[N]
★	豊か（な）	ゆたか（な）	abundant; rich; plentiful	[なAdj.]
	霞ヶ浦	かすみがうら	Lake Kasumigaura	[N]
	利根川	とねがわ	Tone River	[N]
★★	とる		to catch	[V]
	筑波山	つくばさん	Mount Tsukuba	[N]
★	富士山	ふじさん	Mount Fuji	[N]
★★	約～	やく～	about ~; around ~ ("約 + number")	[Others]
★★	ハイキング	はいきんぐ	hiking	[N]
★★	その他	そのほか	other	[N]
★	滝	たき	waterfall	[N]
★★	全体	ぜんたい	entire; entirety	[N]
★	凍る	こおる	to be frozen	[V]
★★	過ごす	すごす	to spend (time)	[V]
★★	人々	ひとびと	people	[N]
★★	暮らす	くらす	to live	[V]
★	江戸時代	えどじだい	Edo period	[N]
	徳川	とくがわ	Tokugawa *Proper noun	[N]
★	藩	はん	domain	[N]
★	陸	りく	land	[N]
★★	アクセス		access; to access	[Nスル]

Unit
4
日本各地の魅力

★★	重要（な）	じゅうよう（な）	important; significant	[なAdj.]
★	栄える	さかえる	to prosper; to flourish	[V]
	偕楽園	かいらくえん	Kairakuen *Proper noun	[N]
★	名園	めいえん	famous garden	[N]
★	梅	うめ	plum	[N]
★★	主（な）	おも（な）	main	[なAdj.]
★	産業	さんぎょう	industry	[N]
★	農業	のうぎょう	agriculture; farming	[N]
★	製造業	せいぞうぎょう	manufacturing industry	[N]
★★	生産量	せいさんりょう	production volume	[N]
★★	北海道	ほっかいどう	Hokkaido *Name of a prefecture	[N]
★★	メロン		melon	[N]
★	干し芋	ほしいも	dried sweet potato	[N]
★★	さつまいも		sweet potato	[N]
★	蒸す	むす	to steam	[V]
★	乾燥	かんそう	drying; to dry	[Nスル]
★★	他	ほか	besides these; along with these	[N]
★★	さまざま（な）		various; different; a variety of	[なAdj.]
★★	一方	いっぽう	on the other hand; meanwhile	[Conj.]
★★	食品	しょくひん	food product	[N]
★★	化学	かがく	chemistry	[N]
★★	分野	ぶんや	field	[N]
★★	大手	おおて	leading; major	[N]
★★	メーカー		company; manufacturer	[N]
	キリンビール		Kirin Brewery Company *Name of a company	[N]
	アサヒビール		Asahi Breweries *Name of a company	[N]
★★	全国	ぜんこく	whole country; nationwide	[N]
★★	トップ		top; number one	[N]
★★	見学	けんがく	visit; tour around; to visit/tour	[Nスル]
★★	今回	こんかい	in this article/text; here	[N]

★	魅力的（な）	みりょくてき（な）	attractive; appealing	[なAdj.]
★★	ガイドブック		guidebook	[N]
★★	地域	ちいき	region; area	[N]
★★	観光	かんこう	sightseeing; tourism; to go sightseeing	[Nスル]
★★	活動	かつどう	activity; to do activities	[Nスル]
★★	ある〜		a ~; a certain ~ （"ある + noun"）	[Others]
★★	おすすめ		recommendation	[N]
★★	情報	じょうほう	information	[N]
★★	観光地	かんこうち	sightseeing destination; tourist spot	[N]
★	祭り	まつり	festival	[N]
★	載る	のる	to be in (something); to be published	[V]

		すばやく読む	Speed Reading	
★	欠かす	かかす	to lack; to be forgotten; to be missed	[V]
★★	自動車	じどうしゃ	automobile; car	[N]
★	飛行機	ひこうき	airplane	[N]
★★	読者	どくしゃ	reader	[N]
★★	ただ		however	[Conj.]
★★	全て	すべて	all; every	[Adv.]
★★	ターゲット		target (reader)	[N]
★★	つまり		in other words; this means	[Conj.]
★★	自然に	しぜんに	automatically; naturally	[Adv.]
★★	海外	かいがい	abroad; overseas	[N]
★	観光客	かんこうきゃく	tourist	[N]
★★	取り上げる	とりあげる	to bring up; to pick up; to introduce	[V]
★★	わあ		wow	[Others]
★★	個人的（な）	こじんてき（な）	personal	[なAdj.]
★★	エピソード		episode; story	[N]
★★	イラスト		illustration	[N]
★★	正確（な）	せいかく（な）	accurate	[なAdj.]
★★	具体的（な）	ぐたいてき（な）	specific; concrete	[なAdj.]
★★	数字	すうじ	number; figure	[N]
★★	現実的（な）	げんじつてき（な）	realistic	[なAdj.]
★	金額	きんがく	cost; price	[N]
★★	最新	さいしん	latest; most up-to-date	[N]
★★	アドバイス		advice; to give advice	[Nスル]
★★	〜を基に	〜をもとに	based on 〜	[Others]

		聞く1	Listening 1	
★	温泉	おんせん	hot spring	[N]
★★	〜による		by 〜	[Others]
★★	ポッドキャスト		podcast	[N]
★★	旅	たび	trip; travel	[N]
★	温かい	あたたかい	warm; hot	[いAdj.]
★★	数	かず	number	[N]
★★	正解	せいかい	correct answer; to answer	[Nスル]
	静岡	しずおか	Shizuoka *Name of a prefecture	[N]
★★	データ		data	[N]
★	思い出	おもいで	memory	[N]
	熱海	あたみ	Atami *Name of a city	[N]
	伊豆	いず	Izu *Name of a city	[N]
★	眺める	ながめる	to gaze; to view; to look	[V]
★	九州	きゅうしゅう	Kyushu *Name of a region	[N]
	大分	おおいた	Oita *Name of a prefecture	[N]
	別府	べっぷ	Beppu *Name of a city	[N]
★★	とにかく		anyhow; just	[Adv.]
★★	いろんな		various; different types	[Others]

		聞く１	Listening 1	
★★	体験	たいけん	experience; to experience	[Nスル]
★	超	ちょう	very; extremely	[Others]
★	年末年始	ねんまつねんし	year-end and new year season	[N]
★	年末	ねんまつ	end of the year; year-end	[N]
★★	感じ	かんじ	feeling	[N]
★★	実は	じつは	actually; in fact	[Conj.]

		聞く２	Listening 2	
★★	インタビュー		interview; to interview	[Nスル]
	山形	やまがた	Yamagata *Name of a prefecture	[N]
★	お願い	おねがい	request; to request/ask for	[Nスル]
★★	出身	しゅっしん	person's origin (town, country, etc.)	[N]
★★	サクランボ		cherry	[N]
★★	スキー場	すきーじょう	ski resort	[N]
★★	パウダースノー		powder snow	[N]
★★	ふわふわ		fluffy	[Adv.]
★★	へえ		oh; hmm; I see	[Others]
★★	なんて		*Places emphasis on the previous word (impressed)	[Others]
★	貴重（な）	きちょう（な）	valuable	[なAdj.]
★	協力	きょうりょく	cooperation; to cooperate	[Nスル]

1 ～さ　Used to nominalize adjectives

① 筑波山の高さはそれほど高くなくて 877m で、3,776m の富士山と比べると、約４分の
つくばさん　　　　　　　　　　　　　　　　　　　　　　　　　　ふじさん　くら　　　　　　　　　やく
１です。　　　　　　　　　　　　　　　　　　　　　　　　　　　　　　　　　　　p.82

Mount Tsukuba's elevation is not so high; it is 877 meters, and compared with 3,776-meter-tall Mount Fuji, it is about 1/4 of the height.

② この店のカレーライスは、辛さを選ぶことができる。
　　　　　　　　　　　　　から　えら
You can choose the spiciness of your curry rice at this restaurant.

③ 車の便利さに慣れると、歩かなくなる。
　　　べんり　な
Once you get used to the convenience of a car, you won't walk anymore.

```
イA い
ナA な  }  さ      いい→よさ
```

"X さ" is used to form a noun out of adjective X.

❶ (広い) → ＿＿＿＿＿＿＿＿＿＿＿＿＿＿＿＿＿＿＿にびっくりした／おどろいた。

❷ (いい) → ＿＿＿＿＿＿＿＿＿＿＿＿＿＿＿＿＿＿＿＿＿＿＿＿＿＿＿。

❸ (不便) → ＿＿＿＿＿＿＿＿＿＿＿、＿＿＿＿＿＿＿＿＿＿＿＿＿＿＿。

2 ＸはＹほど〜ない　X is not as ~ as Y

① 茨城県は、それほど知られていないかもしれませんが、メロンの生産量は日本一です。
いばらき　　　　　　　　　　　　　　　　　　　　　　　　　　　　　　せいさんりょう
Ibaraki may not be as well known, but it is the number one producer of melons in Japan.　(p.82)

② わたしの国の夏は、日本ほど暑くない。
Summer in my country is not as hot as summer in Japan.

③ この問題は、みんなが思っているほど簡単じゃない。
　　　　　　　　　　　　　　　　　　　かんたん
This problem is not as easy as everyone thinks.

The form "（Ｘは）Ｙほど〜ない" compares X and Y to express an evaluative judgement such as "Y and X are not at the same level/degree" or "X is at a lower level/degree than Y." "それほど" means "not as ~."

❶ わたしの国は、日本ほど＿＿＿＿＿＿＿＿＿＿＿＿＿＿＿＿＿＿＿＿＿ない。

❷ A：＿＿＿＿＿＿＿＿＿＿＿と＿＿＿＿＿＿＿＿＿＿＿は、どちらのほうが好き？

　　B：そうですね。＿＿＿＿＿＿＿＿＿＿＿＿＿は、＿＿＿＿＿＿＿＿＿＿ほど

　　　　＿＿＿＿＿＿＿＿＿＿＿ないから、＿＿＿＿＿＿＿＿＿のほうが好きですね。

❸ ＿＿＿＿＿＿＿＿は、＿＿＿＿＿＿ほど＿＿＿＿＿＿＿＿＿＿＿＿＿＿＿。

③ Ｘは／をＹと比べると～　　X is ~ compared with Y

① （筑波山を）3,776mの富士山と比べると、約４分の１です。　　p.83
(When Mount Tsukuba is) Compared with 3776-meter-tall Mount Fuji, it is only 1/4 of the height.

② Ａ：大学生活はどうですか。

Ｂ：大学の生活は、高校と比べると、ずっと自由で楽しいです。でも、忙しさが違いますね。

A: How is your university life?
B: Life in university is much freer and more fun than high school. However, the level of busyness is different.

③ わたしの国は日本と比べると、冬の寒さが厳しいです。
Winter in my country is harsher compared with winter in Japan.

Ｎ　と比べると

The form "ＸをＹと比べると、 Ｚ" indicates a comparison between X and Y.

---

❶ 東京は、＿＿＿＿＿＿＿＿＿＿と比べると、＿＿＿＿＿＿＿＿＿＿＿。

❷ わたしの国は、＿＿＿＿＿＿＿＿＿と比べると、＿＿＿＿＿＿＿＿＿。

❸ Ａ：日本の大学生をどう思いますか。

Ｂ：そうですね、＿＿＿＿＿＿＿＿と比べると、＿＿＿＿＿＿＿と思います。

④ （Ｘのも）Ｙのもいい　　(X is good but) Y is also good

① （偕楽園に）梅の季節の３月に行くのもいいでしょう。　　p.83
It is also good to go (to Kairakuen) during the plum season in March.

② Ａ：北海道だったら、何をするのがいいでしょうか。

Ｂ：そうですねえ、冬に雪祭りを見るのもいいし、夏に自転車で旅行するのもいいと思いますよ。

A: If we go to Hokkaido, what should we do there?
B: Well, I think it would be good to check out the snow festival in winter or travel by bike in summer.

③ いつもは、家族と一緒に食事をするけど、たまに友達と食事してみるのもいい。
I usually eat with my family, but sometimes it's also nice to eat with my friends.

| V dic | のも | V dic | のもいい

"（Xのも）Yのもいい" conveys that "X and Y are both good."

❶ 日本文化を知りたいなら、＿＿＿＿＿＿＿＿＿のもいいし、＿＿＿＿＿＿＿＿＿のもいい。

❷ ＿＿＿＿＿＿＿＿＿＿反対されても、＿＿＿＿＿＿＿＿＿＿のもいい。
　　　　　　　　　　　はんたい

❸ いつもは＿＿＿＿＿＿＿＿＿が、たまには＿＿＿＿＿＿＿＿＿のもいい。

5 「　　」というのは X という／の ことだ　" "means X;" "refers to X

① 「干し芋」というのは、さつまいもを蒸して乾燥させた食べ物のことです。　　　p.83
　　ほ　いも　　　　　　　　　　　　　　む　　　かんそう
　Hoshiimo refers to a food product made by steaming and then drying sweet potato.

② 「魅力」というのは、他の人に良いと感じさせて興味を持たせる力のことです。
　　み りょく　　　　　　　　　　　　　　　　　　　きょう み
　Miryoku refers to the power to make others feel something or someone is good and attracted to it or them.

③ 「立入禁止」というのは、その場所に入ってはいけないということです。
　　きん し
　Tachiiri kinshi means that you must not enter the place.

「　　」というのは ｛ | plain | という / *| N | の ｝ ことだ

This expression "「　　」というのは X という／の ことだ" is used when explaining the meaning or definition of certain words. Conveys that "X has the meaning Y."

❶ 「漁業」というのは、＿＿＿＿＿＿＿＿＿＿＿＿ことです。
　　ぎょぎょう

❷ 「水不足」というのは、＿＿＿＿＿＿＿＿＿＿＿＿ことです。
　　みず ふ そく

❸ ＿＿＿＿＿＿＿というのは、＿＿＿＿＿＿＿＿＿＿＿＿ことです。

① 観光ガイドブックは、行くべき観光地や見るべき祭り、海や山などでできる活動についての情報が載っています。　p.90

Information about tourist spots that you should visit, festivals that you should see, and activities that you can do in places like the ocean or mountains is published in tourism guidebooks.

② 他の人の部屋に入る前に、「失礼します」と言うべきだ。

You should say "excuse me for interrupting" before entering someone else's room.

③ 子どもには、何時間もスマホやゲームをさせるべきではない。

Children should not be allowed to use smartphones or play games for hours on end.

V dic 　⎰ べきだ
　　　　　⎱ べきではない　　　　　　　　する → するべきだ／すべきだ

"Xべき" is used to express the speaker's strong opinion that indicates "we must ~ / we ought to ~."

---

❶ 留学したら、＿＿＿＿＿＿＿＿＿＿＿＿＿＿＿＿＿＿＿＿＿＿＿＿べきだ。

❷ ＿＿＿＿＿＿＿＿＿＿＿＿に対しても、＿＿＿＿＿＿＿＿＿＿＿べきだ。

❸ いい友達でも、＿＿＿＿＿＿＿＿＿＿＿＿＿＿＿＿＿＿＿＿べきではない。

			ていねいに読む　Intensive Reading	
★★	技術	ぎじゅつ	technology	[N]
★★	与える	あたえる	to affect; to give; to impart	[V]
★	影響	えいきょう	impact; influence; to impact/influence	[Nスル]
★★	変化	へんか	change; to change	[Nスル]
★★	ジャズ		jazz	[N]
★★	はやる		to become popular	[V]
★★	発明	はつめい	invention; to invent	[Nスル]
★★	ジャンル		genre	[N]
★★	広める	ひろめる	to spread; to popularize	[V]
★★	結果	けっか	result	[N]
★★	水着	みずぎ	swimsuit	[N]
★	発展	はってん	development; to develop	[Nスル]
★	技術者	ぎじゅつしゃ	engineer	[N]
★	健康的 (な)	けんこうてき (な)	healthy	[なAdj.]
★★	予想	よそう	prediction; to predict	[Nスル]
★★	～によって		due to ~; because of ~	[Others]
★★	過ごす	すごす	to spend (time)	[V]
★★	多くの	おおくの	many; a great amount of ("多くの + noun")	[Others]
★★	エネルギー		energy	[N]
★	資源	しげん	resource	[N]
★	地球温暖化	ちきゅうおんだんか	global warming	[N]
★★	ダイナマイト		dynamite	[N]
★★	工事	こうじ	construction; to construct	[Nスル]
★	お互い	おたがい	both; mutual; either	[N]
★★	実際	じっさい	actuality; actually	[N]
★	激しい	はげしい	violent; intense	[いAdj.]
★★	～に対して	～にたいして	on ~; against ~	[Others]

			すばやく読む　Speed Reading	
★	活版	かっぱん	letterpress	[N]
★	印刷	いんさつ	printing; to print	[Nスル]
★	～世紀	～せいき	~th century ("number + 世紀")	[Others]
★	聖書	せいしょ	Bible	[N]
★	一般	いっぱん	general; ordinary	[N]
★★	ラテン語	らてんご	Latin	[N]
★★	手書き	てがき	handwriting	[N]
★★	一部	いちぶ	part; portion	[N]
★★	手にする	てにする	to get; to obtain	[V]
★★	伝わる	つたわる	to spread	[V]
★★	宗教	しゅうきょう	religion	[N]
★★	改革	かいかく	reformation; to reform	[Nスル]

			すばやく読む Speed Reading	
★	つながる		to be connected	[V]
★	気づく	きづく	to realize	[V]
★★	普及	ふきゅう	spread; popularization; to spread/grow popular	[Nスル]
★★	レンズ		lens	[N]
★★	さまざま（な）		various; different; a variety of	[なAdj.]
★★	進化	しんか	evolution; to evolve	[Nスル]
★	顕微鏡	けんびきょう	microscope	[N]
★★	現在	げんざい	present; now	[N]
★★	ある〜		a ~; a certain ~ ("ある + noun")	[Others]
★	未来	みらい	future	[N]
★★	振り返る	ふりかえる	to reflect upon	[V]

			聞く1　Listening 1	
★	冷蔵庫	れいぞうこ	refrigerator	[N]
★★	食生活	しょくせいかつ	eating habits	[N]
★	漬物	つけもの	pickles	[N]
★	干物	ひもの	dried fish	[N]
★★	生	なま	raw	[N]
★★	地域	ちいき	region; area	[N]
★★	進出	しんしゅつ	advancement; to advance	[Nスル]
★	冷凍食品	れいとうしょくひん	frozen food	[N]
★★	フロン		CFCs	[N]
★	オゾン層	おぞんそう	ozone layer	[N]
★	紫外線	しがいせん	UV light	[N]
★★	量	りょう	amount	[N]
★	皮膚ガン	ひふがん	skin cancer	[N]
★★	リスク		risk	[N]
★★	ためる		to accumulate	[V]
★★	つまり		in other words; this means	[Conj.]
★★	直接的（な）	ちょくせつてき（な）	direct	[なAdj.]
★★	間接的（な）	かんせつてき（な）	indirect	[なAdj.]
★★	助ける	たすける	to help	[V]
★★	人体	じんたい	human body	[N]

			聞く2　Listening 2	
★	桶屋	おけや	tub shop; bucket shop	[N]
★	儲かる	もうかる	to profit	[V]
★	桶	おけ	tub; bucket; pail	[N]
★★	三味線	しゃみせん	shamisen (traditional Japanese stringed instrument)	[N]
★	楽器	がっき	instrument	[N]
★	稼ぐ	かせぐ	to earn (money)	[V]
★	減る	へる	to decrease	[V]
★★	ねずみ		mouse; rat	[N]
★★	かじる		to bite; to chew; to gnaw	[V]

1 「だ・である」体　Plain style

① ジャズがはやったのは、ラジオが発明されたからだと言われている。　　p.101

　　It is said that jazz became popular because of the invention of the radio.

② コーヒーがいつから飲まれているかは、わからない。

　　It is not known how long coffee has been consumed.

③ 図1は、通学時間を示したグラフである。

　　Figure 1 is a graph showing students' commute time.

*Plain style is used at the end of sentences in written language.

	「です・ます」体（丁寧体）	「だ・である」体（普通体）
V	書きます	書く
	書きました	書いた
	書きません	書かない
	書きませんでした	書かなかった
イA	大きいです	大きい
	大きかったです	大きかった
	大きくないです	大きくない
	大きくなかったです	大きくなかった
ナA	有名です	有名だ／有名である
	有名でした	有名だった／有名であった
	有名じゃないです	有名ではない
	有名じゃなかったです	有名ではなかった
N	問題です	問題だ／問題である
	問題でした	問題だった／問題であった
	問題じゃないです	問題ではない
	問題じゃなかったです	問題ではなかった
その他	調べましょう	調べよう
	調べてください	調べてほしい
	調べたいです	調べたい
	違うんです	違うのだ／違うのである
	違うでしょう	違うだろう

練習１：次の「だ・である」体の文を「です・ます」体にしてください。

❶ わたしたちの生活はどんどん便利になってきている。　　　→（　なってきています　）

❷ この調査では、男女の違いについては調べられていない。　→（　　　　　　　　）

❸ 水着ビジネスが大きくなることまで考えられただろうか。　→（　　　　　　　　）

❹ 地球温暖化が進むことにも影響しているのだ。　　　　　　→（　　　　　　　　）

❺ カレーのスパイスが日本に入ってきたのは、18世紀である。→（　　　　　　　　）

練習２：次の「です・ます」体の文を「だ・である」体にしてください。

❶ 魅力がないと言われている県にも、たくさんの魅力があります。→（　　　ある　　　）

❷ 自宅外生の約20%は、大学の寮に住んでいます。　　　　　　→（　　　　　　　　）

❸ 子どもの時の夢と、今の希望は同じじゃないです。　　　　　→（　　　　　　　　）

❹ これは、大学生の生活について調査した結果です。　　　　　→（　　　　　　　　）

❺ 図1と図2を比べてみましょう。　　　　　　　　　　　　　→（　　　　　　　　）

❻ 茨城県という県を聞いたことがありますか。　　　　　　　　→（　　　　　　　　）

❼ 行きたい所を調べて、訪れてみるのもいいでしょう。　　　　→（　　　　　　　　）

② 連用中止形　Suspended form

① 汚れた水をきれいにする技術ができたことで、世界中にプールができ、その結果、水着
を作る技術が発展した。　　　　　　　　　　　　　　　　　　　　　p.101
The global spread of swimming pools was made possible by technology for cleaning dirty water, which led to the development of technology for making swimsuits.

② 水戸は江戸に近く、交通の重要な場所だった。
Mito was close to Edo and was an important location for transit.

③ 文系より理系の学生のほうがアルバイトをせず、勉強に忙しいと言える。
Science students work less part-time jobs than humanities students, so it can be said that they are busier with their studies.

32

	テ形 けい	連用中止形 れんようちゅうしけい
V	書いて、	書き、
	書かないで、	書かず、
	して、	し、
	しないで	＊せず、
	あって、	あり、
	なくて、	なく、
	住んでいて、	住んでおり、
	住んでいなくて、	住んでおらず、
イA	大きくて、	大きく、
	大きくなくて、	大きくなく、
ナA	有名で、	有名で、
	有名ではなくて、	有名ではなく、
N	問題で、	問題で、
	問題ではなくて、	問題ではなく、

練習：次の文を連用中止形を使って、直してください。
れんようちゅうしけい　　　　　　なお

❶ 自分でテーマを <u>決めて</u>、インタビュー <u>して</u>、結果をまとめたレポートだ。
き　　　　　　　　　　　　　　　けっか

→ 自分でテーマを＿＿＿＿＿＿、インタビュー＿＿＿＿＿＿、結果をまとめたレポートだ。
けっか

❷ 東京はたくさんの人が <u>住んでいて</u>、旅行者も <u>多くて</u>、にぎやかな町である。

→ 東京はたくさんの人が＿＿＿＿＿＿、旅行者も＿＿＿＿＿＿、にぎやかな町である。

❸ よく <u>調べないで</u>、発表をしてはいけない。
しら　　　　　　はっぴょう

→ よく＿＿＿＿＿＿＿＿＿＿、発表をしてはいけない。
はっぴょう

3 ～ばかり　only～

① 新しい技術の影響はよいものばかりではない。　　　　　　　（p.101）
ぎじゅつ えいきょう
The impacts of new technologies are not all positive.

② 彼は、ゲームをしてばかりいる。もう少し勉強したほうがいい。
He only plays video games. He should study a little more.

③ いいことばかり続くと、悪いことがあるのではないかと心配になる人もいる。
つづ　　　　　　　　　　　　　　　　　　　　　　しんぱい
Some people worry that if only good things keep happening, then something bad may happen.

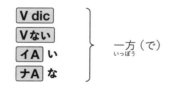

This expression means "only" or "mostly." More specifically, the expression is used when saying that "there are a lot of the same things only" or "continuing the same thing many times." The expression shows a negative sentiment toward this sameness.

*Note that the expression "V た ばかりだ" means "now," "~ has ended," "soon (not a lot of time has passed)".

例）日本に来たばかり（＝日本に来てすぐ）なので、わからないことがたくさんあります。
Since I have just (now) arrived in Japan, there are many things that I do not know.

❶ 子どもの頃、＿＿＿＿＿＿＿＿＿＿＿＿＿＿＿＿＿＿＿＿＿＿＿ばかりいました。

❷ 留学生活は＿＿＿＿＿＿＿＿＿＿ばかりではなく、＿＿＿＿＿＿＿＿もある。

❸ ＿＿＿＿＿＿＿＿＿＿＿＿ばかりで、＿＿＿＿＿＿＿＿＿＿＿＿＿。

④ 〜一方（で）　while ～

① エアコンができたことで、夏でも涼しく過ごせるようになったが、その一方で、エネルギー資源の問題や地球温暖化に影響を与えている。 p.101
The invention of air conditioners has enabled us to stay cool in summer, but on the other hand, it has impacted the problems of energy resources and global warming.

② インターネットは便利な一方で、プライバシーがなくなるという問題がある。
While the internet is a convenient tool, there is also the risk of losing your privacy.

③ 父は、悪いことをした人に厳しい一方、子どもや弱い人に優しい。
Dad is tough on people who have done bad things, but kind to children and the weak.

V dic
Vない
イA い
ナA な
}
一方（で）

The form "X 一方で、Y" expresses X in contrast to Y. It means "X exists in parallel with Y" or "X and Y are carried out simultaneously," but X and Y are contrasting opinions, standpoints, or situations.

❶ 友達と旅行するのは、_____と思う一方（で）、

_____と思うこともある。

❷ 学生は_____一方（で）、_____から忙しい。

❸ _____は_____一方（で）、_____。

5 ～上（に）　in addition to ~; on top of ~

① 15世紀までの聖書は、一般の人には読めないラテン語で書かれている上に手書きだった
ため、一部の人しか読むことができなかった。　p.105

In addition to 15th century Bibles being written in Latin, a language ordinary people could not read, they were also handwritten, so only part of the population could read them.

② わたしの寮は、駅から近くて便利な上に、部屋もきれいで住みやすい。

On top of my dormitory being conveniently located close to the station, my room is also clean and easy to live in.

③ スマートフォンは、電話するだけでなく、知りたいことを調べることもできる上に、きれいな写真も撮れる。

In addition to making calls, smartphones can be used to search thing you want to know and can take beautiful photographs.

> V plain
> イA plain
> ナA な
> N の／である
> } 上（に）
>
> The expression "X 上に Y" shows the evaluation that "state X exists, and there is an additional state Y that is worse or better."

❶ A: 人がたくさんいますね。

B: ええ、今日は_____上に、_____からね。

❷ インターネットは、_____上に、

_____ので、_____。

❸ _____は_____上に、_____から、人気がある。

Unit 6 「やる気」について On"Motivation"

ていねいに読む			Intensive Reading	
★★	やる気	やるき	motivation	[N]
★★	結果	けっか	result	[N]
★★	リサーチ		research; to research	[Nスル]
★★	全国	ぜんこく	whole country; nationwide	[N]
★★	男女	だんじょ	men and women; male and female	[N]
★★	～名	～めい	~ people *Counter word ("number + 名")	[Others]
★★	対象	たいしょう	subject; target	[N]
★★	家事	かじ	house hold chores	[N]
★★	～について		regarding ~; about ~	[Others]
★★	調査	ちょうさ	survey; to investigate/survey	[Nスル]
★★	～によると		according to ~	[Others]
★★	上位	じょうい	top, higher ranks	[N]
★★	～に関する	～にかんする	regarding ~; related to ~	[Others]
★★	～によって		depending on ~	[Others]
★★	分かれる	わかれる	to separate; to differ	[V]
★★	他	ほか	other	[N]
★	意志	いし	will	[N]
★	状況	じょうきょう	circumstance	[N]
★★	感じる	かんじる	to feel	[V]
★★	一方	いっぽう	on the other hand; meanwhile	[Conj.]
★★	とにかく		just; in any case	[Adv.]
★★	つまり		in other words; this means	[Conj.]
★★	ある～		a ~; a certain ~ ("ある + noun")	[Others]
★★	行動	こうどう	action; behavior; to act	[Nスル]
★★	度合い	どあい	degree; extent	[N]
★★	～に対して	～にたいして	towards ~	[Others]
★★	熱心 (な)	ねっしん (な)	enthusiastic; willing	[なAdj.]
★★	可能性	かのうせい	possibility	[N]
★★	実際	じっさい	actually	[Adv.]
★	(自分) なり	(じぶん) なり	(you)-like; your own	[Others]
★★	方法	ほうほう	way; method	[N]

すばやく読む			Speed Reading	
★★	目的	もくてき	aim; objective; purpose	[N]
★★	具体的 (な)	ぐたいてき (な)	specific; concrete	[なAdj.]
★★	実感	じっかん	actual feeling; to actually feel	[Nスル]
★	競争	きょうそう	competition; to compete	[Nスル]
★	応援	おうえん	support; to root for/support; to cheer	[Nスル]

			聞く1　Listening 1		
★	講座	こうざ	lecture		[N]
★★	心理学	しんりがく	psychology		[N]
★★	ジョギング		jogging		[N]
★	三日坊主	みっかぼうず	fickle; gives up easily		[N]
★★	実は	じつは	actually; in fact		[Conj.]
★★	よし		okay; alright		[Others]
★★	なんて		*Places emphasis on the previous word (dismissive)		[Others]
★★	ただ		however		[Conj.]
★	一般的に	いっぱんてきに	general; generally		[Adv.]

			聞く2　Listening 2	
★	分析	ぶんせき	analysis; to analyze	[Nスル]
★★	今回	こんかい	this time	[N]
★	影響	えいきょう	impact; influence; to impact/influence	[Nスル]
★★	以前	いぜん	previous	[N]
★	幼稚園	ようちえん	kindergarten	[N]
★	曲	きょく	tune	[N]
★★	話題	わだい	topic	[N]
★★	誰々	だれだれ	so-and-so	[N]
★★	部活	ぶかつ	(school) club activity	[N]

Unit 6 「やる気」について

1 Nによって　depending on N

① 同じことなのに、人によって好きと嫌いが分かれるのは、「なぜ掃除をするか」という理由と関係している。
p.117

Even though it's the same thing, what separate loves and hatred of cleaning depending on the person is related to the reason why they clean.

② 同じ物でも、店によって値段が違う。

Prices even for the same thing are different depending on the store.

③ A：京都に行くんだけど、何かおすすめはある？

B：うーん、季節や目的によって、おすすめが違うんだよね。

A: I'm going to Kyoto. Do you have any recommendations?
B: Hmm, my recommendations would change depending on the season and the purpose of your trip.

N によって

In the form "XによってY," this phrase means, "In response to X, Y differs or changes." It is typically better to use abstract nouns for X, such as people, time, purpose, budget, location, etc.

---

❶ A：B さんの国へ行くんだけど、どこかいい観光地はありますか。
かんこう ち

　B：＿＿＿＿＿＿＿＿＿＿＿＿＿＿＿＿＿＿＿＿＿＿＿＿＿＿＿＿＿によって、違いますね。
ちが

❷ 住むところの環境によって、＿＿＿＿＿＿＿＿＿＿＿＿＿＿＿＿＿＿＿＿＿＿＿＿＿＿＿。
かんきょう

❸ ＿＿＿＿＿＿＿＿＿＿＿＿＿によって、＿＿＿＿＿＿＿＿＿＿＿＿＿＿＿＿＿＿＿＿＿＿＿。

2 ～てくる／～ていく　have been ~ / will be ~; continue to ~

① ある行動が好きかどうかは、その行動を自分の意志で決められるかどうかで変わってく
い し き
る。　[p.118]

Whether or not you will like a certain behavior will change according to whether you are able to decide to do it
of your own will.

② 国の調査によると、東京都の人口は 1997 年からずっと増えてきている。これからも増
ちょう さ　　　　　　　　　　　　　　　　　　　　　　　　　　　ふ
えていくと、いろいろな問題が起きるだろう。

According to the national survey, the population of Tokyo has been increasing all the way since 1997. If it
continues to increase, numerous problems would arise.

③ この祭りは明治時代に始まり、今まで続いてきた。だが、参加する人が減ってきたため、
まつ　　めい じ　　　　　　　　　　　　　つづ　　　　　　　　　さん か　　　　へ
続けていくことが難しくなっている。
つづ　　　　　　　むずか
This festival began in the Meiji era, and has continued to today. However, as the number of participants has
been decreasing, it is becoming difficult to continue with it.

This phrase expresses the continuation of a change or action. "X てくる" represents a change
prior to the present, that "a change/action X has been continuing from the past till now." "X て
いく" represents a change from the present, that "a change/action X will take place from now."

❶ 日本では子どもの数が減ってきた。これから＿＿＿＿＿＿＿＿＿＿＿＿＿＿だろう。
かず　へ

❷ 日本に来て４ヶ月だ。＿＿＿＿＿＿＿＿＿＿＿＿＿＿＿＿＿＿＿＿＿＿＿と思う。

❸ ＿＿＿＿＿＿＿＿＿＿＿＿＿＿は、＿＿＿＿＿＿＿＿＿＿＿＿＿＿＿＿てきた。

　これから＿＿＿＿＿＿＿＿＿＿＿＿＿＿＿＿＿＿＿＿＿＿＿＿＿＿＿＿だろう。

③ X ば X ほど Y　　the more X, the more Y

① やる気があればあるほど、熱心になるし、よい結果も出るのだ。　　p.118
The more motivated you are, the more passionate you become and the better your results.

② 田中さんは、問題が難しければ難しいほど、やる気になるようだ。
The harder the problems get, the more motivated Mr. Tanaka gets.

③ チームが有名ならば有名なほど、試合のチケットはすぐになくなる。
The more famous the teams are, the quicker the game tickets sell out.

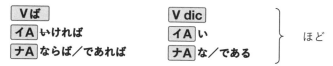

V ば		V dic	
イA いければ		イA い	
ナA ならば／であれば		ナA な／である	

ほど

This phrase "X ば X ほど Y" represents a change. It expresses that "repeating X many times causes more Y to occur/change." In the case of an adjective, the meaning changes to "as the degree (level) of X increases, the degree of Y also increases."

❶ 日本語は＿＿＿＿＿＿＿＿＿＿＿＿＿＿＿＿＿＿＿＿＿上手になる。

❷ アルバイトは、＿＿＿＿＿＿＿＿＿＿＿が＿＿＿＿＿＿＿＿＿＿＿いいです。

❸ ＿＿＿＿＿＿＿＿＿＿＿は、＿＿＿＿＿＿＿＿＿＿＿＿＿＿。

④ （つまり）～わけだ　　in other words, ~

① その行動をするかどうかを自分で決められれば、やる気になり、よい結果が出る可能性が高くなるというわけである。
If they can decide for themselves whether or not to take that action, they'll be more motivated and more likely to achieve good results.
p.119

② A：夏休みに、美術館でインターンシップをするんだ。
　B：ということは、休みがなくて忙しいわけだね。
A: I have an internship at an art museum during the summer holidays.
B: So that means you'll be busy and won't get a break.

③ ホテル代が１日 7,000 円だったら、１週間で約５万円かかるわけだ。
If the hotel costs 7,000 yen per day, it will cost about 50,000 yen for a week.

> **plain** わけだ
>
> The form "X。(つまり) Y わけだ" expresses "given the fact X, it naturally means Y," "from X we can logically derive Y," or "thinking in relation to X leads to Y" (①). X conveys the information needed to reach the conclusion Y. When used in response to a previous conversation, it takes the form "X ということは Y わけだ" (②). Expression such as "X から、 Y になるわけだ" or "X だったら／すれば、 Y になるわけだ" can be used to express personal inferences (③).

❶ A：今住んでいるところには、英語を話せる人がいないんです。

　　B：ということは、＿＿＿＿＿＿＿＿＿＿＿＿＿＿＿＿＿＿＿＿＿＿＿わけですね。

❷ 将来＿＿＿＿＿＿＿＿＿＿＿＿たいから、今＿＿＿＿＿＿＿＿＿＿＿＿わけだ。
　　しょうらい

❸ A：＿＿＿＿＿＿＿＿＿＿＿＿＿＿＿＿＿＿＿＿＿＿＿＿＿＿＿＿＿。

　　B：つまり、＿＿＿＿＿＿＿＿＿＿＿＿＿＿＿＿＿＿＿＿＿＿＿わけですね。

---

⑤ 接続の表現　Conjunctions
　　　せつぞく　　ひょうげん

1. **順接**：だから／それで／そのため／それなら（ば）
   じゅんせつ
   Resultative: therefore / in this way / that is why / in that case

2. **逆接**：しかし／だが／けれども／ところが
   ぎゃくせつ
   Contradictory: but / however / (and) yet / despite that

3. **並列**：また
   へいれつ
   Parallel: besides / likewise / and / as well

4. **添加**：そして／それに／それから／そのうえ
   てんか
   Additive: in addition / furthermore / also / moreover / and (then)

5. **対比**：一方／それに対し（て）／反対に
   たいひ　　　　　　　　　たい　　　　　　はんたい
   Contrast: on the other hand / meanwhile / in contrast / on the contrary

6. **選択**：それとも／または
   せんたく
   Selective: or / either

7. **説明**：なぜなら
   せつめい
   Explanatory: because / since

8. **補足**：実は
   ほそく
   Supplementary: actually / in fact

9. **言い換え**：つまり
   い　か
   Restatement: that is (to say) / in other words / namely

10. **例示**：例えば
    れいじ　たと
    Exemplifying: for example / such as

11. **転換**：では／それでは／さて／ところで
    てんかん
    Transition: then / well / by the way

練習：＿＿＿に入る適切な言葉を下から選んでください。（言葉は一回しか使えません）

| だが　そして　反対に　なぜなら　実は　つまり　例えば　このため　このように |

新しい技術は、❶＿＿＿＿＿＿、言葉にも影響する。これを電話で考えてみよう。

　携帯電話ができる前は、家の電話に特別な呼び方は必要なかった。❷＿＿＿＿＿＿、携帯電話ができると「家電」や「固定電話」など新しい呼び方が生まれた。❸＿＿＿＿＿＿、今までの言葉が使われなくなる場合もある。❹＿＿＿＿＿＿、新しい技術によって、今まで使っていたものがなくなるからだ。❺＿＿＿＿＿＿、「電話する」は「ダイヤルを回す」とも言われていたが、最近のほとんどの電話はダイヤルではなくボタンである。❻＿＿＿＿＿＿、ボタンは「回す」のではなく「押す」ものである。❼＿＿＿＿＿＿、「ダイヤルを回す」という言い方は使われなくなってきている。❽＿＿＿＿＿＿、電話の技術の進歩が、電話に関する表現にも影響したわけである。

　❾＿＿＿＿＿＿、新しい技術によって言葉が生まれたり、なくなったりすることは電話以外にもあるだろう。どのようなものがあるか、ぜひ考えてみてほしい。

		ていねいに読む	Intensive Reading	
★★	公共図書館	こうきょうとしょかん	public library	[N]
★★	役割	やくわり	role	[N]
★★	現状	げんじょう	current state	[N]
★★	地方公共団体	ちほうこうきょうだんたい	local public body	[N]
★	運営	うんえい	management; to manage	[Nスル]
★★	地域	ちいき	region; area	[N]
★★	無料	むりょう	free of charge	[N]
★★	主（な）	おも（な）	main	[なAdj.]
★★	人々	ひとびと	people	[N]
★★	知的活動	ちてきかつどう	intellectual activity	[N]
★★	サポート		support; assistance; help; to support/help	[Nスル]
★★	さまざま（な）		various; different; a variety of	[なAdj.]
★★	知識	ちしき	knowledge	[N]
★★	得る	える	to gain	[V]
★★	情報	じょうほう	information	[N]
★★	あるいは		or; alternatively	[Conj.]
★★	エッセイ		essay	[N]
★★	目的	もくてき	aim; objective; purpose	[N]
★★	他	ほか	other	[N]
★★	古文書	こもんじょ	historical document	[N]
★★	重要（な）	じゅうよう（な）	important	[なAdj.]
★★	資料	しりょう	document; data	[N]
★★	保存	ほぞん	saving; preservation; to save/preserve	[Nスル]
★	博物館	はくぶつかん	museum	[N]
★★	ある〜		a 〜; a certain 〜 ("ある + noun")	[Others]
★★	伝わる	つたわる	to come down (generations); to be told down	[V]
★★	ふさわしい		fitting; appropriate	[Others]
★★	存在	そんざい	existence; to exist	[Nスル]
★	予算	よさん	budget; funding	[N]
★★	実は	じつは	actually; in fact	[Conj.]
★★	数	かず	number	[N]
★★	年々	ねんねん	yearly; year after year	[Adv.]
★★	図書館員	としょかんいん	librarian	[N]
★	減る	へる	to decrease	[V]
★★	具体的（な）	ぐたいてき（な）	specific; concrete	[なAdj.]
★★	約〜	やく〜	about 〜; around 〜 ("約 + number")	[Others]
★★	〜割	〜わり	tenths (similar to percentage, but in tenths) ("number + 割")	[Others]
★	〜減	〜げん	〜 decrease	[Others]
★	施設	しせつ	facility	[N]
★	改善	かいぜん	improvement; to improve	[Nスル]
★	積極的（な）	せっきょくてき（な）	active; aggressive	[なAdj.]
★★	アイデア		idea	[N]

		ていねいに読む Intensive Reading		
★★	可能性	かのうせい	possibility	[N]
★★	その他	そのほか	other than that	[N]
★	登録	とうろく	registration; to register	[Nスル]
★★	データ		data	[N]
★★	実際に	じっさいに	actually	[Adv.]
★★	単に	たんに	simply	[Adv.]
★	魅力的（な）	みりょくてき（な）	attractive; appealing	[なAdj.]

		すばやく読む Speed Reading		
★	各国	かっこく	each country	[N]
★★	身近（な）	みぢか（な）	close; familiar	[なAdj.]
★★	重視	じゅうし	focus; to focus on	[Nスル]
★★	～によって		depending on ~	[Others]
★	消防署	しょうぼうしょ	fire department	[N]
★★	一部	いちぶ	part; portion	[N]
★★	関心	かんしん	interest	[N]
★★	～館	～かん	large building *counter word	[Others]
★★	～当たり	～あたり	per ~	[Others]
★	韓国	かんこく	South Korea	[N]
★★	事情	じじょう	circumstance	[N]
★★	サービス		service; to offer service	[Nスル]
★	載せる	のせる	to carry; to load	[V]
★★	移動図書館	いどうとしょかん	portable library	[N]
★★	ネットワーク		network	[N]
★★	発達	はったつ	development; to develop	[Nスル]
★★	母語	ぼご	mother tongue; native language	[N]
★★	一口に	ひとくちに	in a word	[Adv.]
★	状況	じょうきょう	situation	[N]
★★	異なる	ことなる	to differ	[V]
★★	興味深い	きょうみぶかい	very interesting	[いAdj.]

		聞く1 Listening 1		
★★	インタビュー		interview; to interview	[Nスル]
★	絵本	えほん	picture book	[N]
★★	任せる		to entrust; to leave to	[V]
★★	期待	きたい	hope; expectations; to hope for/expect	[Nスル]
★★	スペース		space; area	[N]
★★	せっかく		long-awaited; precious	[Adv.]
★★	過ごす	すごす	to spend (time)	[V]
★	自動販売機	じどうはんばいき	vending machine	[N]
★	貴重（な）	きちょう（な）	valuable	[なAdj.]
★★	調べ物	しらべもの	matter for inquiry; research	[N]

★	遅い	おそい	late	[いAdj.]
★★	平日	へいじつ	weekday	[N]
★	取り寄せる	とりよせる	to order in; to send for	[V]
★★	ホームページ		website	[N]
★★	つながる		to be connected	[V]
★★	リンク		link; to link	[Nスル]
★	検索	けんさく	search; to search	[Nスル]
★★	ありがたい		grateful	[いAdj.]

★★	若者	わかもの	young people	[N]
★★	ポッドキャスト		podcast	[N]
★	留学	りゅうがく	study abroad; to study abroad	[Nスル]
★★	トピック		topic	[N]
★★	～に対する	～にたいする	against ~; regarding ~	[Others]
★★	～による		depending on ~	[Others]
★★	違い	ちがい	difference	[N]
★★	世代	せだい	generation	[N]
★★	～について		regarding ~; about ~	[Others]
★★	調査	ちょうさ	survey; to investigate/survey	[Nスル]
★★	対象	たいしょう	subject; target	[N]
★★	分ける	わける	to separate	[V]
★	比較	ひかく	comparison; to compare	[Nスル]
★★	予想	よそう	prediction; to predict	[Nスル]
★★	（予想）通り	（よそう）どおり	as (predicted)	[Others]
★★	インターネット		the internet; the web	[N]
★★	過去	かこ	past	[N]
★★	～年間	～ねんかん	for ~ years	[Others]
★★	数字	すうじ	number	[N]
★★	多くの	おおくの	many; a great amount of ("多くの + noun")	[Others]
★★	ネット		the internet; the web	[N]
★★	とにかく		anyway	[Adv.]
★★	データベース		database	[N]
★★	アクセス		access; to access	[Nスル]
★★	ぶらぶらする		to wander; to stroll	[V]
★★	意外（な）	いがい（な）	unexpected	[なAdj.]
★★	行動	こうどう	action; behavior; to act	[Nスル]
★★	気楽（な）	きらく（な）	easygoing; carefree	[なAdj.]
★★	足を運ぶ	あしをはこぶ	to turn out; to show up (at a place, event, etc.)	[V]
★	更新	こうしん	update; to update	[Nスル]

1 ～を通して　through ～

① 人は本を通してさまざまな知的活動を行っている。　(p.133)
People engage in various intellectual activities through books.

② 彼は、絵を描くことを通して、自然のすばらしさを知ったという。
He says that he learned the wonders of nature through painting.

③ 自宅にいても、インターネットを通して世界中の情報を手に入れることができる。
You can get information from all over the world through the internet, even at home.

| V dic こと
N | を通して |

The phrase means to "do something using a person or thing as a tool/intermediary." It is often used when explaining how knowledge or experience was gained.

❶ 留学を通して、_____。

❷ _____を通して、新しいことを知ることができる。

❸ _____を通して、_____。

Unit
7
図書館の将来

2 ～場合　in the event/case ～; if ～

① 公共図書館には、そういった場所が他にない場合、古い地図、古文書など、その地域の重要な情報や資料を保存するという博物館的な役割もある。　(p.133)
In the event that there are no other such places, public libraries can take a museum-like role as well storing important regional documents and information such as old maps and documents.

② 地震が起こった場合、エレベーターは一番近くの階に止まる。
In the event of an earthquake, this elevator will stop at the closest floor.

③ アドバイスが必要な場合は、いつでも相談に来てください。
If you need any advice, feel free to come for consultation.

| plain
* ナA だな
* N だの | 場合 |

The phrase has nearly the same meaning as the phrase "Xとき、Y." "X場合" more strongly implies that X is a condition for Y.

❶ 今年、希望の大学に受からなかった場合、＿＿＿＿＿＿＿＿＿＿＿＿＿＿＿＿＿＿＿＿＿＿＿。
きぼう　う　　　　　　　　ば あい

❷ ＿＿＿＿＿＿＿＿＿＿＿＿＿＿＿＿＿＿＿＿場合、親にお願いするしかない。
　　　　　　　　　　　　　　　　　　　　ば あい　　ねが

❸ ＿＿＿＿＿＿＿＿＿＿＿＿＿場合、＿＿＿＿＿＿＿＿＿＿＿＿＿＿＿＿＿＿。
　　　　　　　　　　　　　ば あい

③ ～にも関わらず　regardless of ~; even though ~
かか

① このように地域の人々をサポートする存在であるにも関わらず、公共図書館への市や町
ちいき　ひとびと　　　　　　　　　　　そんざい　　　　かか　　　　こうきょう
の予算は増えていない。　　p.133
よさん　ふ

Even though public libraries play these important roles in supporting the local residents, municipal funding for public libraries is not increasing.

② こんなに寒いにも関わらず、子どもたちは外で元気に遊んでいる。
　　　　さむ　　かか　　　　　　　　　　　　げんき　あそ

Children are playing outside cheerfully regardless of the cold weather.

③ あんなに勉強したにも関わらず、試験は全然できなかった。
べんきょう　かか　　しけん　ぜんぜん

Even though I studied that hard, I wasn't able to do well on the exam.

The phrase means "even though X, Y." Y represents an event unpredictable from what X expresses. This phrase is often used in written/formal language.

❶ いけないと言われているにも関わらず、＿＿＿＿＿＿＿＿＿＿＿＿＿＿＿＿＿＿＿＿。
い　　　　　　　かか

❷ ＿＿＿＿＿＿＿＿＿＿にも関わらず、＿＿＿＿＿＿＿＿＿＿＿はあまり人気がない。
　　　　　　　　　　かか　　　　　　　　　　　　　　　　　にんき

❸ ＿＿＿＿＿＿＿＿＿＿にも関わらず、＿＿＿＿＿＿＿＿＿＿＿＿＿＿＿＿＿＿＿。
　　　　　　　　　　かか

4 ～からこそ　*since ~; especially because ~*

① 地域文化の保存のように公共図書館であるからこそできることも、専門の人がいなくなると難しくなるだろう。　**p.134**

Things that are only possible because of public libraries, like preserving local culture, will also likely become difficult when there are no longer any experts.

② 彼女の気持ちがわかるからこそ、わたしは何も言わなかった。

I didn't say anything especially because I understood her feelings.

③ 家族やコーチがいたからこそ、大変な時も頑張れた。

I was able to overcome my hardships especially because my family and coach were there for me.

> **plain** からこそ
>
> This expression "X からこそ Y" is used to emphasize a reasoning or cause. It means "the reason for Y is none other than X."

❶ あの人は、やさしいからこそ、_____。

❷ 大学生であるからこそ、_____ほうがいい。

❸ _____からこそ、_____。

5 ～（の）ではないだろうか　*isn't it ~?; perhaps ~*

① 公共図書館は、人がもっと来たくなるような魅力的な場所に変わっていくべきではないだろうか。　**p.134**

Shouldn't public libraries change into more appealing places people want to visit more?

② 彼女の話していることは、全部うそなのではないだろうか。

Perhaps everything she is saying is a lie.

③ みんなで考えれば、もっといい方法があるのではないだろうか。

If we all think together, can't we find a better method?

> **plain**
> * **ナA** だな ⎫
> * **N** だな ⎭ のではないだろうか　　　**ナA** だ ⎫
> 　　　　　　　　　　　　　　**N** だ ⎭ ではないだろうか
>
> This is a phrase that expresses the speaker's speculation. It expresses a lower level of confidence than the phrase "～（の）ではないか" and is more indirect.

❶ 日本語が上手になるためには、＿＿＿＿＿＿＿＿＿＿＿＿＿＿＿＿＿＿＿ではないだろうか。

❷ 大学生にとって、＿＿＿＿＿＿＿＿＿＿は、＿＿＿＿＿＿＿＿＿＿ではないだろうか。

❸ ＿＿＿＿＿＿＿＿＿＿たいなら、＿＿＿＿＿＿＿＿＿＿ではないだろうか。

生き物を守ろう Let's Protect the Animals
まも

		ていねいに読む　Intensive Reading	
★	絶滅危惧種	ぜつめつきぐしゅ	endangered species [N]
★	絶滅	ぜつめつ	extinction; to go extinct [Nスル]
★★	生き物	いきもの	animal; creature [N]
★	恐竜	きょうりゅう	dinosaur [N]
★	思い浮かべる	おもいうかべる	to come to mind [V]
★	隕石	いんせき	meteorite [N]
★	地球	ちきゅう	the Earth [N]
★★	ぶつかる		to crash into; bump into [V]
★	太陽	たいよう	the Sun [N]
★	届く	とどく	to reach [V]
★★	実は	じつは	actually; in fact [Conj.]
★★	第〜	だい〜	〜th; No. 〜 (1, 2, 3, etc.) ("第 + number") [Others]
★	気温	きおん	temperature [N]
★★	火山	かざん	volcano [N]
★	噴火	ふんか	eruption; to erupt [Nスル]
★★	自然	しぜん	nature [N]
★★	現在	げんざい	present; now [N]
★★	起こる	おこる	to occur [V]
★★	〜のせい		due to 〜 [Others]
★★	人間	にんげん	human [N]
★★	〜による		by 〜 [Others]
★	環境	かんきょう	environment [N]
★★	行動	こうどう	action; behavior; to act [Nスル]
★★	引き起こす	ひきおこす	to cause [V]
★★	〜について		regarding 〜; about 〜 [Others]
★★	挙げる	あげる	to take (as an example); to raise [V]
	ニホンオオカミ		Japanese wolf *Name of an animal [N]
	ニホンカワウソ		Japanese river otter *Name of an animal [N]
★★	オオカミ		wolf [N]
★★	四国	しこく	Shikoku *Name of a region [N]
★	九州	きゅうしゅう	Kyushu *Name of a region [N]
★★	山地	さんち	mountainous region [N]
	奈良	なら	Nara *Name of a prefecture [N]
★★	主（な）	おも（な）	main [なAdj.]
★★	明治時代	めいじじだい	Meiji period [N]
★	銃	じゅう	gun [N]
★	普及	ふきゅう	spread; popularization; to spread/grow popular [Nスル]
★★	全国	ぜんこく	whole country; nationwide [N]
	高知	こうち	Kochi *Name of a prefecture [N]
★★	発見	はっけん	discovery; to discover [Nスル]
★	毛皮	けがわ	fur [N]
★	捕る	とる	to hunt [V]

		ていねいに読む	Intensive Reading	
★★	今後	こんご	future; hereafter	[N]
★★	可能性	かのうせい	possibility	[N]
	国際自然保護連合	こくさいしぜんほごれんごう	International Union for Conservation of Nature	[N]
★★	カテゴリー		category	[N]
★★	図	ず	diagram; figure	[N]
★★	段階	だんかい	stage	[N]
★★	～によって		depending on ～	[Others]
★★	野生	やせい	wild	[N]
★★	リスク		risk	[N]
★★	分ける	わける	to divide	[V]
★★	地域	ちいき	region; area	[N]
★★	状態	じょうたい	condition	[N]
★★	ホームページ		website	[N]
★★	全て	すべて	all; every	[N]
★	状況	じょうきょう	situation	[N]
★	改善	かいぜん	improvement; to improve	[Nスル]
★★	一人一人	ひとりひとり	each individual	[N]

		すばやく読む	Speed Reading	
★	保護	ほご	protection; to protect	[Nスル]
★	守る	まもる	to protect	[V]
★★	取り組み	とりくみ	effort; program	[N]
★★	全体	ぜんたい	entirety; entire	[N]
★★	つながる		to be connected	[V]
★★	エリア		area	[N]
★★	集中的（な）	しゅうちゅうてき（な）	intensive; focused	[なAdj.]
	ホットスポット		hotspot	[N]
★	動物園	どうぶつえん	zoo	[N]
★★	施設	しせつ	facility	[N]
★★	数	かず	number	[N]
★★	増やす	ふやす	to increase	[V]
★	掲示板	けいじばん	bulletin board	[N]
★★	～に関する	～にかんする	regarding ～; related to ～	[Others]
★★	知識	ちしき	knowledge	[N]
★★	広める	ひろめる	to spread	[V]
★★	その他	そのほか	other than that	[N]
★★	国々	くにぐに	nations	[N]
★	協力	きょうりょく	cooperation; to cooperate	[Nスル]
★★	条約	じょうやく	treaty	[N]
★★	ワシントン条約	わしんとんじょうやく	Washington Convention *Name of a treaty	[N]
★	禁止	きんし	prohibition; to prohibit	[Nスル]
★★	方法	ほうほう	way, method	[N]
★★	関わる	かかわる	to be involved	[V]
★★	人々	ひとびと	people	[N]

★	象牙	ぞうげ	ivory	[N]
★	印鑑	いんかん	signature stamp	[N]
★★	リモートワーク		remote working	[N]
	アイボリー		ivory	[N]
★	貯まる	たまる	to accumulate; to build up (wealth, savings, etc.)	[V]
★★	ゾウ		elephant	[N]
★★	〜に対する	〜にたいする	against 〜; regarding 〜	[Others]
★	虐待	ぎゃくたい	abuse; to abuse	[Nスル]
★★	持ち込む	もちこむ	to bring in	[V]
	名古屋	なごや	Nagoya *Name of a city	[N]
★	逮捕	たいほ	arrest; to arrest	[Nスル]
★	隠す	かくす	to hide	[V]
★★	違法	いほう	illegal	[N]
★★	国内	こくない	domestic	[N]
★★	マーケット		market	[N]
★★	すでに		already	[Adv.]
★	許可	きょか	permission, approval; to permit/approve	[Nスル]
★★	さて		now, well (as a connective)	[Conj.]

	ニホンウナギ		Japanese eel *Name of an animal	[N]
★★	ウナギ		eel	[N]
	蒲焼	かばやき	*kabayaki* (a fish dish, especially eel, grilled in a sweet soy sauce)	[N]
★	栄養	えいよう	nutrition	[N]
	レッドリスト		red list	[N]
★★	細長い	ほそながい	elongated; long and thin	[いAdj.]
★	約〜	やく〜	about 〜; around 〜 ("約 + number")	[Others]
★★	産む	うむ	to give birth	[V]
★★	太平洋	たいへいよう	Pacific Ocean	[N]
★	諸島	しょとう	islands	[N]
★★	あたり		around	[N]
★★	かえる		to hatch	[V]
★	稚魚	ちぎょ	juvenile fish	[N]
★	沖縄	おきなわ	Okinawa *Name of a prefecture	[N]
★	朝鮮半島	ちょうせんはんとう	Korean Peninsula	[N]
★	台湾	たいわん	Taiwan	[N]
★	香港	ほんこん	Hong Kong	[N]
★	ご覧になる	ごらんになる	to see; to look at (polite form)	[V]
★	部分	ぶぶん	section	[N]
★	減る	へる	to decrease	[V]
★	（減り）続ける	（へり）つづける	to continue (to decrease)	[V]
★★	期間	きかん	period	[N]
	宮崎	みやざき	Miyazaki *Name of a prefecture	[N]

Unit
8

生き物を守ろう

	鹿児島	かごしま	Kagoshima *Name of a prefecture	[N]
	熊本	くまもと	Kumamoto *Name of a prefecture	[N]
★	禁じる	きんじる	to prohibit	[V]
★★	他	ほか	other	[N]
★★	コンクリート		concrete	[N]
★	洪水	こうずい	flood	[N]
★★	工事	こうじ	construction; to construct	[Nスル]
★★	隠れる	かくれる	to hide	[V]
★	カゴ		basket	[N]
★★	個人的（な）	こじんてき（な）	personal	[なAdj.]
★★	がまん	がまん	self-restraint; to hold back	[Nスル]
★★	発表	はっぴょう	presentation; to present	[Nスル]
★	参考文献	さんこうぶんけん	references	[N]

1　～と考えられている　it is thought that ～

① 恐竜絶滅の原因は、隕石が地球にぶつかって太陽の光が地球に届かなくなったからだと
考えられている。 （p.152）

The extinction of dinosaurs is thought to have been caused by a meteorite impact and the subsequent absence of sunlight reaching the Earth.

② 第1から第4の絶滅も、そのどれもが、気温が急に下がったり火山が噴火したりというように自然の力が原因であると言われている。 （p.152）

The first to fourth extinctions are also thought to be of natural causes, such as rapid decreases in temperatures and volcanic eruptions.

③ ニホンオオカミは、1905年に奈良県で捕まえられたのを最後に絶滅したとされている。

It is said that the Japanese wolf was last caught in 1905 when it went extinct. （p.152）

This phrase is a passive expression used to portray facts in a formal situation or in news reports. It is a phrase used to state generally accepted thoughts or opinions.

❶ ＿＿＿＿＿＿＿＿＿＿＿＿＿＿＿＿は、＿＿＿＿＿＿＿＿＿＿＿＿＿＿＿と考えられている。

❷ ＿＿＿＿＿＿＿＿＿＿＿＿＿＿＿＿は、＿＿＿＿＿＿＿＿＿＿＿＿＿＿＿と言われている。

❸ ＿＿＿＿＿＿＿＿＿＿＿＿＿＿＿＿は、＿＿＿＿＿＿＿＿＿＿＿＿＿＿＿とされている。

② 決して〜ない　not ~ by any means; not ~ at all; never ~

① これは、決していい状況とは言えない。　p.153
This is not a good situation by any means.

② 日本で過ごした時間は、決して忘れない。
I will never forget my time spent in Japan.

③ 彼女は、決してうそをつくような人ではない。
She is not the type of person to lie at all.

> 決して〜ない　（negative forms）
>
> This phrase expresses a strong negation, meaning "it is never ~." The end of the sentence takes a negative or prohibition form.

❶ 卒業しても、決して_____。

❷ 何度言われても、わたしは_____。

❸ _____、決して_____。

Unit 8 生き物を守ろう

③ 〜続ける　continue to ~

① ニホンウナギの数は、残念なことに、毎年、減り続けています。　聞く2
Unfortunately, the number of Japanese hare continues to decrease.

② 昔と違って、結婚しても働き続けたいと考えている女性は少なくない。
Unlike the past, women who wish to continue to work after marriage are not rare.

③ 昨日から降り続いた雨も、もうすぐやむだろう。
This rain that has been continuing since yesterday should stop soon.

> **Vます** 続ける　× 雨が降り続ける → ○ 雨が降り続く
>
> This phrase expresses the continuation of something, meaning that "the event is continuing."

❶ わたしの国では、_____が_____続けている。

❷ _____は、_____続けている。

❸ _____。

東京大学教養学部のアカデミック・ジャパニーズ　J-PEAK 中級 ［別冊］
J-PEAK: Japanese for Liberal Arts at the University of Tokyo [Intermediate Level] [Supplement]

Published by The Japan Times Publishing, Ltd.
2F Ichibancho Daini TG Bldg., 2-2 Ichibancho, Chiyoda-ku, Tokyo 102-0082, Japan
Website: https://bookclub.japantimes.co.jp/

ISBN978-4-7890-1805-0

Printed in Japan